Este libro pertenece a
This book belongs to

Alex Diaz

Harcourt Religion Publishers

Autora
Maureen A. Kelly, M.A.

Nihil Obstat
Mons. Louis R. Piermarini
Imprimátur
✠Rmo. Robert J. McManus, S.T.D.
Obsipo de Worcester
9 de agosto de 2005

El Ad Hoc Committee to Oversee the Use of the Catechism, de la United States Conference of Catholic Bishops, consideró que este texto, copyright ©2007, está en conformidad, como material catequético suplementario, con el *Catecismo de la Iglesia Católica*.

The Ad Hoc Committee to Oversee the Use of the Catechism, United States Conference of Catholic Bishops, has found this catechetical text, copyright ©2007, to be in conformity, as supplemental catechetical material, with the *Catechism of the Catholic Church*.

For permission to translate/reprint copyrighted material, grateful acknowledgment is made to the following sources:

Michael Balhoff: Lyrics from "Remember Your Love" by Michael Balhoff. Lyrics © 1973, 1978 by Damean Music.

John Burland: Lyrics from "Coming Back Together" by John Burland. Lyrics copyright © 2000 by John Burland.

Division of Christian Education of the National Council of the Churches of Christ in the U.S.A.: Scripture quotations from the *New Revised Standard Version Bible*. Text copyright © 1993 and 1989 by the Division of Christian Education of the National Council of the Churches of Christ in the U.S.A.

Editorial Verbo Divino: Scriptures from *La Biblia Latinoamerica*, edited by San Pablo – Editorial Verbo Divino. Text copyright © 1998 by Sociedad Bíblica Católica Internacional (SOBICAIN).

GIA Publications, Inc., 7404 S. Mason Ave., Chicago, IL 60638, www.giamusic.com, 800-442-1358: Lyrics from "We Are Called" by David Haas. Lyrics copyright © 1988 by GIA Publications, Inc.

International Commission on English in the Liturgy: From the English translation of *Rite of Penance*. Translation © 1974 by International Committee on English in the Liturgy, Inc. From the English translation of the *Rite of Christian Initiation of Adults*. Translation © 1985 by International Committee on English in the Liturgy, Inc. From the English translation of *The Roman Missal*. Translation © 1973 by International Committee on English in the Liturgy, Inc.

Obra Nacional de la Buena Prensa, A.C.: From *Misal Romano*. Text copyright © by Obra Nacional de la Buena Prensa, A.C. From *Ritual de la Penitencia*. Text copyright © by Obra Nacional de la Buena Prensa, A.C.

OCP Publications, 5536 NE Hassalo, Portland, OR 97213: Lyrics from "Show Us Your Mercy, O Lord/Misericordia, Señor" by Bob Hurd. English lyrics copyright © 1998 by Bob Hurd; Spanish lyrics © 1972 by Sobicain. Lyrics from "Children of God" by Christopher Walker. Lyrics © 1991 by Christopher Walker.

Illustration Credits
Shane Marsh/Linden Artists, Ltd. 110–113; Roger Payne/Linden Artists, Ltd. 70–73, 90–93; Francis Phillips/Linden Artists, Ltd. 30–33, 50–53; Tracy Somers 58–59, 98–99; Clive Spong/Linden Artists, Ltd. 10–13.

Photo Credits
Royalty-Free/Corbis 26–27.

Printed in the United States of America

ISBN: 0-15-901847-1

3 4 5 6 7 8 9 10 059 10 09 08

UN LLAMADO A CELEBRAR LA RECONCILIACIÓN

Contenido

Contents

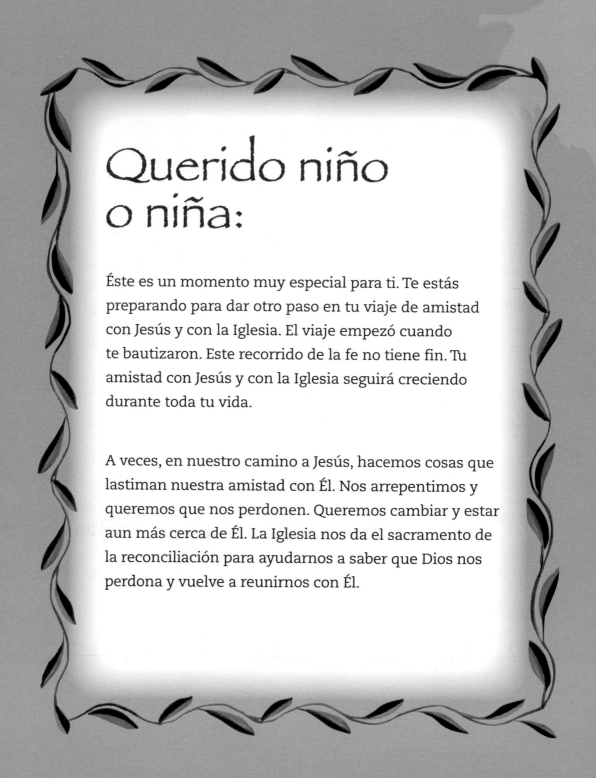

Querido niño o niña:

Éste es un momento muy especial para ti. Te estás preparando para dar otro paso en tu viaje de amistad con Jesús y con la Iglesia. El viaje empezó cuando te bautizaron. Este recorrido de la fe no tiene fin. Tu amistad con Jesús y con la Iglesia seguirá creciendo durante toda tu vida.

A veces, en nuestro camino a Jesús, hacemos cosas que lastiman nuestra amistad con Él. Nos arrepentimos y queremos que nos perdonen. Queremos cambiar y estar aun más cerca de Él. La Iglesia nos da el sacramento de la reconciliación para ayudarnos a saber que Dios nos perdona y vuelve a reunirnos con Él.

Dear Child,

This is a very special time for you. You are preparing to take another step in your journey of friendship with Jesus and the Church. Your journey began when you were baptized. This journey of faith never ends. You will keep growing in your friendship with Jesus and the Church for your whole life.

Sometimes on our journey with Jesus we act in ways that hurt our friendship with him. We are sorry and want to be forgiven. We want to change and grow even closer to him. The Church gives us the Sacrament of Reconciliation to help us know that God forgives us and brings us back to him.

Estás preparándote para celebrar por primera vez el sacramento de la reconciliación. En este sacramento, Jesús te perdona tus pecados mediante las acciones y las oraciones del sacerdote.

En *Un llamado a celebrar la reconciliación*,

- aprenderás que Dios es un Dios de misericordia y perdón
- rezarás con tus compañeros de clase y con tu familia
- escucharás relatos de Jesús y de los Apóstoles
- aprenderás a celebrar el sacramento de la reconciliación

¿Qué te gustaría aprender este año?

quiero noes1aprendes

El padre nuestro

You are getting ready to celebrate the Sacrament of Reconciliation for the first time. In this sacrament, Jesus forgives your sins through the actions and prayers of the priest.

In *Call to Celebrate: Reconciliation*, you will

- learn that God is a God of mercy and forgiveness
- pray with your classmates and family
- listen to the stories of Jesus and the Apostles
- learn how to celebrate the Sacrament of Reconciliation

What is one thing you would like to learn this year?

alot of things

1 Se nos llama

Nos reunimos

Procesión

Avancen lentamente. Sigan a la persona que lleva la Biblia.

Líder: Oremos.

Hagan juntos la señal de la cruz.

Escuchamos

Líder: Lectura de los Hechos de los Apóstoles.

Lean Hechos 17:16–34.

Palabra de Dios.

Todos: Te alabamos, Señor.

Siéntense en silencio.

Chapter 1

We Are Called

We Gather

Procession

As you sing, walk forward slowly. Follow the person carrying the Bible.

 Sing together.

> We are called to act with justice,
> we are called to love tenderly.
> We are called to serve one
> another,
> to walk humbly with God!

We Are Called, David Haas © GIA Publications

Leader: Let us pray.

Make the Sign of the Cross together.

We Listen

Leader: A reading from the Acts of the Apostles.

Read Acts 17:16–34.

The word of the Lord.

All: Thanks be to God.

Sit silently.

3

Enfoque del rito: Hacer la señal de la cruz

Líder: Recordemos la bondad de Dios, quien nos da todas las cosas buenas. Dios nos da la vida y el aliento, y en Él vivimos, nos movemos y existimos.

Vengan al agua para que los marquen con la señal de la cruz.

Líder: [Nombre], Dios te llama por tu nombre para que vivas siempre en el amor con Él.

Niño: Amén.

Líder: Unámonos en la oración que Jesús nos enseñó.

Recen juntos el padrenuestro.

Evangelicemos

Líder: Dios amado, nuestra fuente de vida, bendícenos, protégenos de todo mal y llévanos a la vida eterna.

Todos: Amén.

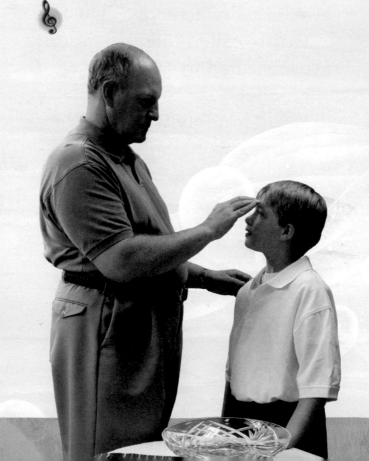

Ritual Focus: Signing with the Cross

Leader: Let us call to mind the goodness of God, who gives us all good things. God gives us life and breath, and in him we live and move and have our being.

Come to the water to be marked with the Sign of the Cross.

Leader: [Name], God calls you by name to live in love with him always.

Child: Amen.

Leader: Let us join in the prayer that Jesus has taught us.

Pray the Lord's Prayer together.

We Go Forth

Leader: Loving God, our source of life, bless us, protect us from all evil, and bring us to everlasting life.

All: Amen.

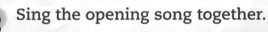 Sing the opening song together.

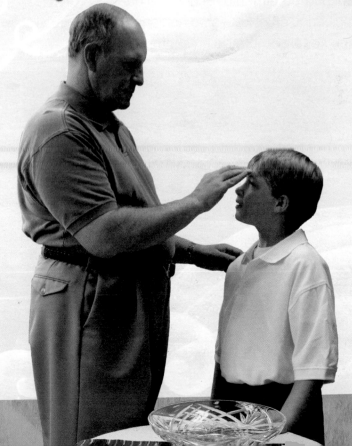

Dios llama

Nombre de bautismo

En el **bautismo**, cada uno de nosotros recibe un nombre especial. Por lo general, es el nombre o alguna forma del nombre de un santo o de María, la madre de Jesús. Puede ser el nombre de una persona del Antiguo Testamento. El nombre que recibimos en el bautismo no tiene que ser el nombre de un santo.

Reflexiona

Hacer la señal de la cruz Piensa y escribe acerca de la celebración.

Cuando oí mi nombre

Mi _____

_____

_____

La parte de la oración que me hizo feliz fue

_____

_____

Esto es lo que la oración me dijo acerca de Dios:

_____

_____

_____

God Calls

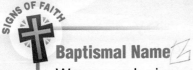

Baptismal Name

We are each given a special name at **Baptism**. Usually it is the name or some form of the name of a saint or Mary, the Mother of Jesus. It may be the name of an Old Testament person. The name given at Baptism does not have to be a saint's name.

Reflect

Signing with the Cross   Think and write about the celebration.

When I heard my name

I liked my name

_____

_____

The part of the prayer that made me happy was

come to us your

kinsdom

_____

This is what the prayer told me about God:

he is in

heven

_____

7

Hijos de Dios

En nuestro bautismo, el sacerdote o el diácono nos llama por nuestro nombre. Toda la comunidad nos da la bienvenida con gran júbilo. Nos bautizan en el nombre del Padre, del Hijo y del Espíritu Santo. El sacerdote o el diácono nos hace la señal de la cruz en la frente. La señal de la cruz es un signo de que pertenecemos a Dios.

Dios nos llama a una vida de felicidad con Él. Nos promete su gracia. La **gracia** es una participación en la propia vida de Dios. ¡Imagínense! Dios quiere que seamos sus hijos. Nos elige y quiere que lo amemos y nos amemos los unos a los otros.

SIGNOS DE FE

Bautismo
El bautismo es el sacramento que nos hace hijos de Dios y miembros del Cuerpo de Cristo, la Iglesia. El bautismo quita el **pecado** original y todos los pecados personales. Nos une a Jesús y nos hace templos del Espíritu Santo. En el bautismo, celebramos la promesa de Dios de que vivirá en amistad con nosotros para siempre.

God's Children

At our Baptism the priest or deacon calls us by name. The whole community welcomes us with great joy. We are baptized in the name of the Father, the Son, and the Holy Spirit. The priest or deacon makes the Sign of the Cross on our forehead. The Sign of the Cross is a sign we belong to God.

God calls us to a life of happiness with him. He promises us his grace. **Grace** is a sharing in God's own life. Imagine that! God wants us to be his children. He chooses us and wants us to love him and each other.

SIGNS OF FAITH

Baptism

Baptism is the sacrament that makes us children of God and members of the Body of Christ, the Church. Baptism takes away original sin and all personal **sin**. It unites us to Jesus and makes us temples of the Holy Spirit. In Baptism we celebrate God's promise that he will live in friendship with us forever.

9

Dios nos ama

Enfoque en la fe

¿Cómo muestra Dios su amor por nosotros?

Dios llamó a san Pablo para que hablara a la gente acerca de su amor. Pablo respondió al llamado de Dios y viajó a muchas ciudades para llevar el mensaje de Dios. En la ciudad de Atenas, Pablo se puso de pie en la plaza del mercado y dijo estas palabras:

Sagrada Escritura

HECHOS 17:16–34

Dios nos da vida a todos

—¡Pueblo de Atenas! —dijo Pablo—. Quiero hablarles del único Dios verdadero para que puedan conocerlo. Él hizo el mundo y todo lo que hay en él. Él es el Señor del cielo y de la tierra. A todos nos da la vida y el aliento. Hizo a todas las personas y todas las cosas, y nos da las estaciones del año. Quiere que la gente lo busque y lo encuentre en su creación.

God Loves Us

Faith Focus

How does God show his love for us?

God called Saint Paul to tell people about his love. Paul answered God's call and traveled to many cities to bring God's message. In the city of Athens, Paul stood up in the marketplace and spoke these words:

ACTS 17:16–34

God Gives Everyone Life

"People of Athens!" Paul said. "I want to tell you about the one true God so that you can come to know him. He made the world and all that is in it. He is the Lord of heaven and earth. He gives everyone life and breath. He made everyone and everything, and he gave us the seasons of the year. He wants people to search for him and to find him in his creation."

Pablo continuó: —No es difícil encontrar a Dios. Él está cerca. Nosotros vivimos, nos movemos y existimos en Él.

Somos sus hijos. Nos creó para que seamos una familia. Nos llama para que nos acerquemos a Él con amor.

Hasta envió a su propio Hijo Jesús para decirnos cuánto nos ama y para enseñarnos a vivir.

Algunos griegos creyeron lo que Pablo les dijo y se hicieron discípulos de Jesús.

BASADO EN HECHOS 17:16–34

❓ **¿Qué enseña Pablo acerca de Dios?**

❓ **¿Cómo respondes al llamado de Dios a amarlo?**

La fe en el hogar

Lean el relato de la Sagrada Escritura con su hijo o hija. Hagan una lista de las formas en que ustedes y su familia han llegado a conocer a Dios: por medio de otras personas, por ciertos acontecimientos y a través de la oración. Usen la lista con su hijo o hija como letanía de acción de gracias a la hora de rezar. Lean cada punto y respondan: "Te damos gracias, Dios bueno y misericordioso".

Comparte

Escribe acerca del amor de Dios En el siguiente espacio, escribe una oración sobre alguna manera en que Dios demuestra su amor por ti.

Then Paul said, "It is not difficult to find God. He is near. We live and move and have our being in him."

"We are his children. God made us to be one family. He calls us to turn to him with love."

"He even sent his own Son, Jesus, to tell us how much he loves us and to show us how to live."

Some of the Greeks believed what Paul told them and became followers of Jesus.

BASED ON ACTS 17:16–34

❓ **What does Paul teach about God?**

❓ **How do you answer God's call to love him?**

Faith at Home

Read the scripture story with your child. Make a list of the different ways you and your family have come to know God. Examples could be through other people, events, and prayer. Use the list with your child as a litany of thanksgiving at appropriate prayer times. Read each item and respond, "We give you thanks, good and gracious God."

Share

Write about God's love   In the space below, write a sentence about one way God shows his love for you.

_____

_____

Signos del amor de Dios

La Santísima Trinidad

La **Trinidad** es el misterio de un Dios en tres Personas: Padre, Hijo y Espíritu Santo (glosario de *CIC*). Se puede llamar a cada uno de ellos Dios. La creencia en la Trinidad es la parte más importante de nuestra fe. Cuando nos hacemos la señal de la cruz, estamos diciendo que creemos en la Trinidad.

Enfoque en la fe

¿Qué son los sacramentos?

Desde el principio, Dios quiso que las personas fueran sus amigos. Él compartió su vida con los seres humanos. Pero los primeros seres humanos se apartaron de la amistad de Dios. Lo desobedecieron y pecaron. A este primer pecado lo llamamos **pecado original**. El pecado original afecta a todas las personas. Debido a ello, el sufrimiento vino al mundo y las personas tienden a pecar.

Aunque los primeros seres humanos se apartaron de Dios, Él de todos modos quiso vivir en amistad con la gente. Así que Dios, nuestro Padre, envió a su Hijo Jesús para mostrarnos cuánto nos ama. Jesús es el signo más importante del amor de Dios.

- Jesús nos enseñó a vivir en amistad con Dios.

- Jesús murió en la cruz para salvarnos del pecado.

- Jesús nos enseñó que aun cuando nos apartemos de la amistad de Dios, Dios nos perdonará.

Signs of God's Love

The Holy Trinity

The mystery of one God in three Persons: Father, Son, and Holy Spirit is called the **Trinity** (*CCC*. Glossary). Each of them can be called God. Belief in the Trinity is the most important part of our faith. When we make the Sign of the Cross, we are saying we believe in the Trinity.

Faith Focus

What are the sacraments?

From the very beginning, God wanted people to be friends with him. He shared his life with humans. But the first humans turned away from God's friendship. They disobeyed him and sinned. We call this first sin **original sin**. Original sin affects all people. Because of it, suffering came into the world and people tend to sin.

Even after the first humans turned away from him, God still wanted to live in friendship with people. So God our Father sent his Son, Jesus, to show us how much he loves us. Jesus is the most important sign of God's love.

- Jesus showed us how to live in friendship with God.

- Jesus died on the cross to save us from sin.

- Jesus showed us that even when we turn from God's friendship, God will forgive us.

Los sacramentos de la iniciación

Jesús nos dio los sacramentos para que pudiéramos conocer el amor de Dios, su perdón, su sanación y su llamado al servicio. Un **sacramento** es un signo externo que proviene de Jesús. Los siete sacramentos nos dan la gracia.

El primero de los tres sacramentos de la iniciación es el bautismo. En el bautismo, nos unimos a Jesús y recibimos vida nueva. En la confirmación, el Espíritu Santo nos da fuerza para vivir como discípulos de Jesús. El bautismo y la confirmación nos marcan con un carácter especial, por lo tanto, podemos recibirlos sólo una vez.

En la eucaristía, recibimos el Cuerpo y la Sangre de Jesús. Podemos participar con frecuencia en la eucaristía. La eucaristía nos ayuda a parecernos más a Jesús. Nos ayuda a vivir, a movernos y a existir en Dios.

Estos tres sacramentos juntos nos hacen miembros de la Iglesia. La Iglesia es un signo del amor de Dios. Dios nos llama a vivir en comunidad con las demás personas que creen en Él. La familia de la Iglesia nos ayuda a crecer como hijos de Dios.

❓ **¿Cuáles son algunos de los signos del amor de Dios en tu vida?**

La fe en el hogar

Comenten la respuesta de su hijo o hija a la pregunta. Hablen de por qué Jesús es el signo más grandioso del amor de Dios. Recuerden uno de sus relatos preferidos de Jesús de los evangelios y compártanlo con su hijo o hija. Hagan hincapié en las cualidades amorosas de Jesús.

The Sacraments of Initiation

Jesus gave us the sacraments so we would know God's love, forgiveness, healing, and call to service. A **sacrament** is an outward sign that comes from Jesus. The seven sacraments give us grace.

Baptism is the first of the three Sacraments of Initiation. In Baptism we are united to Jesus and receive new life. In Confirmation the Holy Spirit gives us strength to live as followers of Jesus. Baptism and Confirmation mark us with a special character, so we can only receive them once.

In the Eucharist we receive the Body and Blood of Jesus. We can participate in the Eucharist often. The Eucharist helps us be more like Jesus. It helps us live and move and have our being in God.

These three sacraments together make us members of the Church. The Church is a sign of God's love. God calls us to live in community with other people who believe in him. The Church family helps us grow as God's children.

❓ **What are some signs of God's love in your life?**

Ser miembro

Responde

Escribe sobre ser miembro de la Iglesia

Escribe en el cartel un enunciado que exprese cómo demuestras que eres miembro de la Iglesia. Luego decora tu cartel.

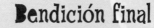

Bendición final

Reúnanse y comiencen con la señal de la cruz.

Líder: Dios, Padre nuestro, tú nos das todos los seres vivos.

Todos: Te alabamos y te agradecemos.

Líder: Jesús, Salvador nuestro, tú nos das la vida.

Todos: Te alabamos y te agradecemos.

Líder: Espíritu Santo, Ayudante nuestro, tú nos haces santos.

Todos: Te alabamos y te agradecemos.

Líder: Vayamos ahora en paz y en amor.

Todos: Te alabamos, Señor.

Being a Member

Respond

Write about being a member   Write a sentence in the banner to tell how you show you are a member of the Church. Then decorate your banner.

Closing Blessing

Gather and begin with the Sign of the Cross

Leader: God, our Father, you give us all the living creatures.

All: We praise and thank you.

Leader: Jesus, our Savior, you give us life.

All: We praise and thank you.

Leader: Holy Spirit, our Helper, you make us holy.

All: We praise and thank you.

Leader: Let us go forth in peace and love.

All: Thanks be to God.

Sing together.

We are called to act with justice,
   we are called to love tenderly.
We are called to serve one
   another,
   to walk humbly with God!

We Are Called, David Haas © GIA Publications

La fe en el hogar

Enfoque en la fe

- En el bautismo, Dios nos llama a una vida de felicidad con Él.

- Un sacramento es un signo externo que proviene de Jesús y nos da la gracia.

- Jesús es el signo más grandioso del amor de Dios Padre.

Enfoque del rito
Hacer la señal de la cruz

La celebración se centró en ser marcado con agua bendita. Los niños vinieron al agua, se los llamó por el nombre y se les hizo la señal de la cruz. Durante la semana, bendigan a su hijo o hija haciéndole la señal de la cruz todos los días a una hora conveniente.

Actúa

Compartan juntos Lean Isaías 43:1–4. Inviten a los miembros de la familia a que comenten cómo los hace sentir la lectura. Luego hablen entre todos acerca de la frase: "Te he llamado por tu nombre, tú eres mío". Inviten a los miembros de la familia a que comenten el porqué de su nombre. Después pregúntenles qué les gusta de su nombre. Pídanles que permanezcan en silencio e imaginen que Dios dice su nombre y agrega: "tú eres mío".

Actúen juntos Dios nos llama a vivir en armonía con la naturaleza y a disfrutarla. Escojan algo de lo siguiente para hacer en familia esta semana: Dar un paseo por la naturaleza, conversar sobre cómo su familia puede ser administradora del agua, buscar y participar en un proyecto relacionado con el medio ambiente u ofrecerse para ayudar a cuidar el jardín de un vecino anciano.

Oración en familia

Dios, Padre nuestro, gracias por llamarnos a ser tus hijos. Conocemos tu amor y queremos compartirlo con los demás. Envía a tu Espíritu Santo para que nos ayude a amar y a cuidar todo lo que has creado. Te lo pedimos en el nombre de tu Hijo, Jesús. Amén.

Faith at Home

Faith Focus

- In Baptism God calls us to a life of happiness with him.

- A sacrament is an outward sign that comes from Jesus and gives us grace.

- Jesus is the greatest sign of God the Father's love.

Ritual Focus
Signing with the Cross

The celebration focused on being signed with holy water. The children came to the water, were called by name, and signed with the Sign of the Cross. During the week, bless your child by signing him or her with the Sign of the Cross each day at a convenient time for both of you.

GO ONLINE **www.harcourtreligion.com**
Visit our Web site for weekly scripture readings and questions, family resources, and more activities.

Act

Share Together Read Isaiah 43:1–4. Invite family members to share how the reading makes them feel. Then talk together about the words, "I have called you by name, you are mine." Invite family members to share why they have the names they do. Then ask individuals to share what they like about their names. Ask everyone to be still and imagine God saying each of their names and adding, "You are mine."

Do Together God calls us to live in harmony with nature and to enjoy it. Choose one of the following to do as a family this week: Go on a nature walk. Discuss how your family can be stewards of water. Find an environmental project to become involved in, or volunteer to help take care of an elderly neighbor's yard.

Family Prayer

God, our Father, thank you for calling us to be your children. We know your love, and we want to share it with others. Send your Holy Spirit to help us love and care for everything you have created. We ask this in the name of your Son, Jesus. Amen.

Capítulo 2

Somos bienvenidos

Nos reunimos

Procesión

Avancen lentamente. Sigan a las personas que llevan la Biblia y la vela. Reúnanse alrededor de la vela.

Líder: Oremos.

Hagan juntos la señal de la cruz.

Enfoque del rito: Renovación de las promesas del bautismo

Líder: Jesús es la Luz del mundo.

Enciende la vela.

Líder: Renovemos ahora nuestras promesas del bautismo.

¿Renunciáis al pecado para vivir en la libertad de los hijos de Dios?

Todos: Sí, renuncio.

Líder: ¿Renunciáis a Satanás y a todas sus obras y promesas vacías?

Todos: Sí, renuncio.

Líder: ¿Creéis en Dios, Padre todopoderoso, en Jesucristo, su único Hijo, nuestro Señor, en el Espíritu Santo y en la santa Iglesia católica?

Todos: Sí, creo.

Chapter 2

We Are Welcomed

We Gather

Procession

As you sing, walk forward slowly. Follow the people carrying the Bible and candle. Gather around the candle.

 Sing together.

We are marching in the light of God,
    we are marching in the light of God.
We are marching, we are marching
    in the light of God.
We are marching, we are marching
    in the light of God.

South African Traditional

Leader: Let us pray.

    Make the Sign of the Cross together.

Ritual Focus: Renewal of Baptismal Promises

Leader: Jesus is the Light of the World.

    Light the candle.

Leader: Let us renew our baptismal promises now.

    Do you reject sin so as to live in the freedom of God's children?

All: I do.

Leader: Do you reject Satan, and all his works, and all his empty promises?

All: I do.

Leader: Do you believe in God, the Father almighty; in Jesus Christ, his only Son, our Lord; in the Holy Spirit and the holy catholic Church?

All: I do.

Líder: Asperje a los niños con agua.

Hagan la señal de la cruz cuando los asperjan con agua bendita.

Escuchamos

Líder: Padre bueno y amado, envíanos al Espíritu Santo para que nos abra el corazón a la Buena Nueva de tu Hijo Jesús, la Luz del mundo. Te lo pedimos en su nombre.

Todos: Amén.

Líder: Lectura del santo Evangelio según san Lucas.

Todos: Gloria a ti, Señor.

Líder: Lean Lucas 19:1–10.

Palabra del Señor.

Todos: Gloria a ti, Señor Jesús.

Siéntense en silencio.

Evangelicemos

Líder: Padre amado, te damos gracias por la Luz de Cristo. Envíanos al Espíritu Santo para que nos ayude a vivir como hijos de la luz.

Todos: Amén.

Leader: Sprinkle children with water.

Make the Sign of the Cross as you are sprinkled with holy water.

We Listen

Leader: Good and gracious Father, send us the Holy Spirit to open our hearts to the good news of your Son, Jesus, the Light of the World. We ask this in his name.

All: Amen.

Leader: A reading from the holy Gospel according to Luke.

All: Glory to you, Lord.

Leader: Read Luke 19:1–10.

The Gospel of the Lord.

All: Praise to you, Lord Jesus Christ.

Sit silently.

We Go Forth

Leader: Loving Father, thank you for the Light of Christ. Send us the Holy Spirit to help us live as children of the light.

All: Amen.

 Sing the opening song together.

25

La Luz de Cristo

SIGNOS DE FE

Agua bendita

El agua bendecida por un **sacerdote** o diácono se llama **agua bendita**. Es un signo de la limpieza del pecado cuando el agua se asperja sobre la asamblea. El agua puede asperjarse sobre la asamblea en la misa dominical, especialmente durante el tiempo de Pascua. Usamos el agua bendita para hacer la señal de la cruz y recordar nuestro bautismo cuando nos reunimos en la iglesia.

Reflexiona

Renovación de las promesas del bautismo   Dibuja y escribe acerca de una forma en que puedes marchar en la Luz de Cristo.

_____

_____

_____

_____

The Light of Christ

Holy Water

Water blessed by a **priest** or deacon is called **holy water**. It is a sign of cleansing from sin when the water is sprinkled on the assembly. It may be sprinkled on the assembly at Sunday Mass, especially during the Easter season. We use holy water to make the Sign of the Cross and remember our Baptism as we come into church.

Reflect

Renewal of Baptismal Promises   Draw and write about one way that you can march in the Light of Christ.

helPing   PeoPle

Hijos de la luz

En el bautismo, recibimos una vela y el sacerdote o diácono reza para que caminemos como hijos de la luz. Somos hijos de la luz cuando amamos a los demás y nos preocupamos por ellos.

A veces no nos comportamos como hijos de la luz. Aun cuando amamos a nuestra familia, podemos hacer cosas que no son nobles. Podemos lastimar a nuestros amigos. A veces elegimos no preocuparnos por lo que los demás quieren o necesitan. Elegimos el pecado.

Sabemos lo que es hacer algo malo. Sabemos lo que es sentirnos arrepentidos y querer reconciliarnos. ¿Qué pasaría si jamás tuviéramos una segunda oportunidad?

SIGNOS DE FE

Velas

Las velas son signos de Cristo, la Luz del mundo. Las velas se usan en el altar durante la misa. La vela más importante que se usa en los sacramentos es el **cirio pascual**. Esta vela se bendice en la Vigilia Pascual y arde durante las misas del tiempo de Pascua. También arde en los bautismos y en los funerales a lo largo del año. A veces se colocan velas delante de los altares de María y de los santos. Estas velas son señales de respeto y oración.

Children of the Light

At Baptism we receive a candle. The priest or deacon prays that we will walk as children of the light. We are children of the light when we love and care about other people.

Sometimes we do not act like children of the light. Even though we love our family, we may do things that are unkind. We may hurt our friends. Sometimes we choose not to care about what others want or need. We choose sin.

We know what it is like to do something wrong. We know what it is like to feel sorry and want to make up. What if we never got a second chance?

SIGNS OF FAITH

Candles

Candles are signs of Christ, the Light of the World. Candles are used at the altar during Mass. The most important candle used in the sacraments is the **Paschal candle**. This candle is blessed at the Easter Vigil and burned during the Masses of the Easter season. It is also burned at Baptisms and funerals throughout the year. Sometimes candles are placed before the altars of Mary and the saints. These candles are a sign of respect and prayer.

Jesús trae la Buena Nueva

Enfoque en la fe

¿Qué sucede cuando Jesús nos recibe?

Jesús recibió a los pecadores. Comió y bebió con ellos. Les dio una segunda oportunidad. Les contó relatos sobre Dios. Los curó y los perdonó. Las personas cambiaban cuando conocían a Jesús.

 Sagrada Escritura

LUCAS 19:1–10

Zaqueo

Un día Jesús atravesaba el pueblo de Jericó. Las multitudes se reunían para verlo. Jesús no tenía planeado detenerse allí. En su camino a través del pueblo, miró hacia lo alto de un sicómoro. ¡En las ramas había un hombre! Era Zaqueo.

Zaqueo era un rico cobrador de impuestos y un pecador. Realmente quería ver a Jesús. Trepó al árbol porque era de tan baja estatura que no podía verlo.

Cuando Jesús vio a Zaqueo, dijo: "Zaqueo, baja enseguida, pues hoy tengo que quedarme en tu casa". Zaqueo bajó rápidamente y recibió a Jesús en su casa con alegría. Estaba muy feliz.

Jesus Brings Good News

Faith Focus

What happens when Jesus welcomes us?

Jesus welcomed sinners. He ate and drank with them. He gave them a second chance. He told them stories about God. He healed and forgave them. When people got to know Jesus, they changed.

Scripture

LUKE 19:1–10

Zacchaeus

One day Jesus was going through the town of Jericho. The crowds gathered to see him. He did not plan to stop there. On his way through the town, Jesus looked up into a sycamore tree. There in the branches was a man! It was Zacchaeus.

Zacchaeus was a rich tax collector and a sinner. He really wanted to see Jesus. He climbed the tree because he was so short that he could not see Jesus.

When Jesus saw Zacchaeus, he said, "Zacchaeus, come down quickly, for today I must stay at your house." Zacchaeus came down quickly and welcomed Jesus to his house with joy. He was very happy.

Las personas de la multitud estaban descontentas. Decían: "Ha ido a quedarse a la casa de un pecador". No les parecía bien que Jesús estuviera en casa de pecadores.

Zaqueo le dijo a Jesús: "Voy a dar la mitad de mis bienes a los pobres. Si le he quitado algo a alguien, le devolveré cuatro veces más".

Jesús dijo: "Zaqueo, hoy ha llegado el perdón de Dios a tu casa".

BASADO EN LUCAS 19:1–10

❓ **¿Por qué crees que Jesús decidió detenerse en la casa de Zaqueo?**

❓ **¿Cómo te sentirías si Jesús fuera a tu casa? ¿Cómo cambiarías?**

La fe en el hogar

Lean el relato de la Sagrada Escritura con su hijo o hija. Comenten las respuestas a las preguntas. Señalen el efecto que Jesús tuvo en Zaqueo. Pongan énfasis en el gesto de acogida que dio Jesús a Zaqueo y en cómo Jesús se invitó a la casa de Zaqueo. Hablen de las formas en que su familia recibe a las personas.

Comparte

Prepárate En el espacio a continuación, escribe algo que harías si Jesús fuera a tu casa.

feliz

The people in the crowd were not happy. They said, "He has gone to stay at the house of a sinner." They did not think Jesus should be around sinners.

Zacchaeus told Jesus, "I will give half of my possessions to the poor. If I have taken anything from anyone, I will pay them back four times more."

Jesus said, "Zacchaeus, today God's forgiveness has come to your house."

BASED ON LUKE 19:1–10

? **Why do you think Jesus decided to stop at Zacchaeus' house?**

? **How would you feel if Jesus came to your home? How would you change?**

Share

Get ready In the space below, write one thing you would do if Jesus came to your home.

glad

Segunda oportunidad

Confesionario

El lugar donde los individuos celebran el sacramento de la reconciliación con el sacerdote se llama **confesionario**. La habitación se prepara de manera que podamos sentarnos cara a cara con el sacerdote o podemos elegir arrodillarnos o sentarnos detrás de una cortina mientras hablamos con él. El sacerdote no puede contar jamás lo que le decimos durante el sacramento de la reconciliación.

Enfoque en la fe

¿Cómo se nos recibe en el sacramento de la reconciliación?

Cuando Dios nos creó, nos dio el libre albedrío: la capacidad de elegir entre el bien y el mal. Cuando elegimos hacer lo que sabemos que está mal, pecamos.

Una de las formas de demostrar que estamos arrepentidos de nuestros pecados y pedir el perdón de Dios es celebrando el **sacramento de la reconciliación**. También podemos llamarlo **sacramento de la penitencia**, del perdón o de la confesión.

Este sacramento podemos celebrarlo una y otra vez. Es necesario hacerlo cuando elegimos alejarnos del amor de Dios y separarnos de su vida. Esto se llama **pecado mortal**. Para que un pecado sea mortal, debe ser una ofensa grave, la cual sabemos lo es y elegimos libremente cometerla de todos modos. También podemos recibir este sacramento por pecados menos graves que debilitan nuestra amistad con Dios. Un pecado menos grave se denomina **pecado venial**.

Second Chance

Reconciliation Room

The place where individuals celebrate the Sacrament of Reconciliation with the priest is called a **Reconciliation room**. The room is set up so we can sit face-to-face with the priest, or we may choose to kneel or sit behind a screen while we speak to him. The priest cannot ever tell what we say to him during the Sacrament of Reconciliation.

Faith Focus

How are we welcomed in the Sacrament of Reconciliation?

When God created us, he gave us free will. This is the ability to choose between right and wrong. When we choose to do what we know is wrong, we sin.

One of the ways we can show we are sorry for our sins and ask God's forgiveness is in the **Sacrament of Reconciliation**. We also call this the **Sacrament of Penance**, the Sacrament of Forgiveness, or Confession.

We can celebrate this sacrament again and again. It is necessary to do so when we choose to turn away from God's love and separate ourselves from God's life. This is called a **mortal sin**. For a sin to be mortal, it must be seriously wrong, we must know it is seriously wrong, and we must freely choose to do it anyway. We can also receive this sacrament for less serious sins that weaken our friendship with God. A less serious sin is called a **venial sin**.

Preparación y bienvenida

La Iglesia celebra la penitencia de dos maneras. En las **celebraciones individuales**, la persona que busca el perdón se encuentra con el sacerdote a solas. En las **celebraciones comunitarias**, grupos de personas se reúnen para escuchar la Palabra de Dios y para rezar. Luego cada persona cuenta sus pecados en privado al sacerdote.

En el sacramento de la reconciliación, el sacerdote actúa en lugar de Jesús. El sacerdote es un signo del perdón de Dios. Se prepara para recibirnos en el sacramento de la penitencia rezándole al Espíritu Santo. Le pide al Espíritu Santo que lo ayude a hablarnos del amor y del perdón de Dios.

Nos preparamos para el sacramento rezándole al Espíritu Santo y examinando nuestras acciones. Comenzamos con la señal de la cruz. En una celebración individual, el sacerdote nos saluda diciendo palabras como éstas: "Que Dios, que ha iluminado todos los corazones, te ayude a reconocer tus pecados y a confiar en su misericordia". Respondemos: "Amén".

❓ **¿Cómo le pedirás al Espíritu Santo que te ayude a examinar tu vida?**

La fe en el hogar

Comenten las respuestas a la pregunta de la página. Hablen sobre el papel del sacerdote como signo de la acogida y el perdón de Dios. Usen esta página para repasar los ritos iniciales del sacramento. Cuando estén en la iglesia esta semana, muéstrenle a su hijo o hija el confesionario.

Preparation and Welcome

The Church celebrates Penance in two ways. In **individual celebrations** the person seeking forgiveness meets alone with the priest. In **communal celebrations** groups of people gather to listen to God's word and pray. Then each person tells his or her sins privately to the priest.

In the Sacrament of Reconciliation the priest acts in the place of Jesus. The priest is a sign of God's forgiveness. He prepares to welcome us to the Sacrament of Penance by praying to the Holy Spirit. He asks the Holy Spirit to help him tell us about God's love and forgiveness.

We prepare for the sacrament by praying to the Holy Spirit and looking at our actions. We begin with the Sign of the Cross. In an individual celebration, the priest then greets us with words like these: "May God who has enlightened every heart help you to know your sins and trust in his mercy." We answer, "Amen."

❓ **How will you ask the Holy Spirit to help you look at your life?**

Faith at Home

Discuss responses to the question on the page. Talk about the role of the priest as a sign of God's welcome and forgiveness. Use this page to go over the Introductory Rites of the Sacrament. When you are at church this week, show your child the Reconciliation room.

Prepararse para la celebración

Responde

Escribe una carta En el espacio a continuación, escribe una carta breve a Dios en la que le digas cómo te sientes con respecto a tu preparación para celebrar el sacramento de la reconciliación por primera vez.

feliz

_____

_____

_____

_____

_____

Bendición final

Reúnanse y comiencen con la señal de la cruz.

Líder: Dios, nuestro Padre amado, te damos gracias por recibirnos como hijos tuyos. Aumenta nuestra fe y haznos fuertes.

Todos: Escúchanos, te rogamos.

Líder: Dios, nuestro Padre amado, nos llamas a que cambiemos y crezcamos. Haz que nuestra luz brille más para ti.

Todos: Escúchanos, te rogamos.

Líder: Dios, nuestro Padre amado, ayúdanos a reconocer nuestros pecados y a confiar en tu misericordia.

Todos: Escúchanos, te rogamos.

Preparing to Celebrate

Respond

Write a letter In the space below, write a short letter telling God how you feel about preparing for your first celebration of the Sacrament of Reconciliation.

Proud

_____

_____

_____

_____

_____

_____

Closing Blessing

Gather and begin with the Sign of the Cross.

Leader: God, our Gracious Father, you welcome us as your children. Increase our faith and make us strong.

All: Hear us, we pray.

Leader: God, our Gracious Father, you call us to change and grow. Make our light burn brighter for you.

All: Hear us, we pray.

Leader: God, our Gracious Father, help us to know our sins and trust in your mercy.

All: Hear us, we pray.

Sing together.

We are marching in the light of God,
   we are marching in the light of God.
We are marching, we are marching
   in the light of God.
We are marching, we are marching
   in the light of God.

South African Traditional

La fe en el hogar

Enfoque en la fe

- El bautismo nos llama a caminar en la luz.

- El pecado es una elección.

- El sacramento de la reconciliación perdona los pecados cometidos después del bautismo.

Enfoque del rito

Renovación de las promesas del bautismo

La celebración se centró en la renovación de las promesas del bautismo y en la aspersión con agua bendita. Los niños renovaron sus promesas del bautismo y se les asperjó con agua bendita. Durante la semana, usen el texto de la página 22 y renueven sus propias promesas del bautismo con su hijo o hija y con el resto de la familia.

www.harcourtreligion.com

APRENDE en línea

Visite nuestro sitio Web y encontrará lecturas semanales de la Sagrada Escritura y preguntas, recursos para la familia y otras actividades.

Actúa

Compartan juntos   Lean Lucas 19:1–10. Hablen acerca de cómo debió haber sido para Zaqueo tener a Jesús en su casa. Señale los cambios que Zaqueo hizo después de conocer a Jesús. Luego invite a cada miembro de la familia a hacer una lista de personas cuyo ejemplo provocó algún cambio en su vida. Pida a cada uno que lea los nombres de la lista. Después de cada nombre, digan juntos: "Que Dios te bendiga por ser luz en nuestra vida".

Actúen juntos   Juntos, piensen y compartan los nombres de algunas personas a las que su familia podría llevarles un poco de luz y alegría. Ponga énfasis en que hasta las cosas pequeñas pueden alegrarle el día a alguien. Elijan a una de las personas y planeen lo que harán para alegrarle la vida.

Oración en familia

Padre amoroso, te damos gracias por todas las formas en que te nos das a conocer. Ayúdanos a continuar esparciendo la Luz de Cristo en nuestro mundo. Te lo pedimos en el nombre de tu Hijo, Jesús. Amén.

Faith at Home

Faith Focus

- At Baptism we are called to walk in the light.

- Sin is a choice.

- The Sacrament of Reconciliation forgives sins committed after Baptism.

Ritual Focus

Renewal of Baptismal Promises

The celebration focused on the Renewal of Baptismal Promises and sprinkling with holy water. The children renewed their baptismal promises and were sprinkled with holy water. During the week, use the text on page 23 and renew your own baptismal promises with your child and the rest of the family.

Act

Share Together Read Luke 19:1–10. Talk about what it must have been like for Zacchaeus to have Jesus come to his house. Point out the changes Zacchaeus made after he met Jesus. Then invite each family member to list people whose example caused some change in his or her own life. Ask each person to read the names on the list. After each name, pray together, "God bless you for being a light in our lives."

Do Together Together, think about and share the names of some people that your family could contribute some light and joy to. Emphasize that even small things can brighten someone's day. Choose one of the people and plan what you will do to brighten his or her life.

Family Prayer

Loving Father, we give you thanks for all the ways you make yourself known to us. Help us to continue to spread the Light of Christ in our world. We ask this in the name of your Son, Jesus. Amen.

Nos reunimos

Procesión

Avancen lentamente. Sigan a la persona que lleva la Biblia.

Líder: Oremos.

Hagan juntos la señal de la cruz.

Escuchamos

Enfoque del rito: Reverenciar la Palabra

Avancen de uno en uno. Inclínense ante la Biblia o coloquen la mano sobre ella.

Líder: [Nombre], que la Palabra de Dios te ilumine siempre.

Niño: Amén.

We Gather

Procession

As you sing, walk forward slowly. Follow the person carrying the Bible.

 Sing together.

> Misericordia, Señor,
>   show us your mercy, O Lord,
> hemos pecado,
>   for we have sinned.

Salmo 50: Misericordia, Señor/Psalm 51:Show Us Your Mercy, Lord © Bob Hurd. Published by OCP

Leader: Let us pray.

Make the Sign of the Cross together.

We Listen

Ritual Focus: Reverencing the Word

Come forward one at a time. Bow or place your hand on the Bible.

Leader: [Name], may God's word always enlighten you.

Child: Amen.

43

Líder: Dios, nuestro Padre amado, tú que nos llamas a la santidad y a la bondad. Tú que nos quieres unidos en ti. Envíanos al Espíritu Santo para que nuestra mente y nuestro corazón se abran a tu Palabra y a las obras de tu misericordia. Te lo pedimos por Jesucristo, nuestro Señor.

Todos: Amén.

Líder: Lectura del santo Evangelio según san Lucas.

Todos: Gloria a ti, Señor.

Líder: Lean Lucas 10:25–28.

Palabra del Señor.

Todos: Gloria a ti, Señor Jesús.

Siéntense en silencio.

Líder: Unámonos en la oración que Jesús nos ha enseñado.

Recen juntos el padrenuestro.

Evangelicemos

Líder: Que el Señor nos bendiga, nos proteja de todo mal y nos lleve a la vida eterna.

Todos: Amén.

44

Leader: God, our loving Father, you call us to holiness and goodness. You want us to be united in you. Send us the Holy Spirit so that our minds and hearts will be open to your word and the works of your goodness. We ask this through Jesus Christ our Lord.

All: Amen.

Leader: A reading from the holy Gospel according to Luke.

All: Glory to you, Lord.

Leader: Read Luke 10:25–28.

The Gospel of the Lord.

All: Praise to you, Lord Jesus Christ.

Sit silently.

Leader: Let us join in the prayer Jesus has taught us.

Pray the Lord's Prayer together.

We Go Forth

Leader: May the Lord bless us, protect us from all evil, and bring us to everlasting life.

All: Amen.

 Sing the opening song together.

La Palabra de Dios

SIGNOS DE FE

Reverencia

Al inclinar la cabeza o el cuerpo hacia adelante en señal de reverencia demostramos honra y adoración a Dios. También nos inclinamos durante la oración cuando queremos pedir la bendición de Dios. A veces inclinamos la cabeza para reverenciar el nombre de Jesús.

Reflexiona

Reverenciar la Palabra   Piensa y escribe acerca de la celebración.

Cuando escuché la Palabra de Dios

feliz

Cuando me incliné ante la Biblia y puse la mano sobre ella

que dios e
estaua cerca de
mi

La Palabra de Dios es como

amon es
todo

God's Word

Bowing

Bending the head or body forward shows honor and adoration for God. We also bow in prayer when we want to ask for God's blessing. Sometimes we bow our heads to reverence the name of Jesus.

Reflect

Reverencing the Word   Think and write about the celebration.

When I listened to God's word

_____

_____

_____

When I bowed and put my hand on the Bible

_____

_____

God's word is like

happy

_____

_____

Dios nos habla

Reverenciamos la Biblia porque es un libro sagrado. Es la propia Palabra de Dios. La Biblia cuenta la historia del amor de Dios por su pueblo. En la Biblia están los relatos de lo que dijo e hizo Jesús.

Escuchamos relatos de la Biblia todos los domingos en la misa. Durante el sacramento de la reconciliación, leemos o escuchamos relatos de la Biblia. Estos relatos pueden ser sobre el perdón de Dios o sobre la manera como debemos vivir las leyes de Dios.

También usamos la Biblia antes de celebrar el sacramento de la reconciliación para que nos ayude a observar nuestra vida. Rogamos al Espíritu Santo que nos ayude a ver si estamos viviendo de acuerdo con los diez mandamientos, las bienaventuranzas, la vida de Jesús y las enseñanzas de la Iglesia.

SIGNOS DE FE

La Biblia

La Biblia es la propia Palabra de Dios. Otro nombre dado a la Biblia es **Sagrada Escritura**. La palabra *Escritura* quiere decir "escrito". Dios guió a los seres humanos para que escribieran los relatos de la Biblia sobre su amor y su perdón. La Biblia tiene dos partes: el Antiguo Testamento y el Nuevo Testamento. El Antiguo Testamento cuenta la historia del amor y el perdón de Dios antes de la llegada de Jesús. El Nuevo Testamento nos cuenta lo que enseñaron Jesús y sus discípulos acerca del amor y el perdón de Dios.

God Speaks to Us

We reverence the Bible because it is a holy book. It is God's own word. The Bible tells the story of God's love for his people. The stories of what Jesus said and did are in the Bible.

We hear stories from the Bible every Sunday at Mass. During the Sacrament of Reconciliation, we read or listen to stories from the Bible. These stories may be about God's forgiveness or how we are to live God's laws.

We also use the Bible before we celebrate the Sacrament of Reconciliation to help us look at our lives. We pray to the Holy Spirit to help us see if we are living according to the Ten Commandments, the Beatitudes, the life of Jesus, and Church teachings.

SIGNS OF FAITH

The Bible

The Bible is God's own word. Another name used for the Bible is **Scriptures**. The word *Scriptures* means "writings." God guided humans to write the stories in the Bible about his love and forgiveness. The Bible has two parts, the Old Testament and the New Testament. The Old Testament tells the story of God's love and forgiveness before Jesus came. The New Testament tells us what Jesus and his followers taught about God's love and forgiveness.

Amar a Dios y al prójimo

Enfoque en la fe

¿Cuál es el mandamiento más importante?

Nosotros queremos hacer lo correcto. Los mandamientos nos ayudan a reconocer la diferencia entre lo correcto y lo incorrecto. Cuando Jesús estaba en la tierra, la gente quería saber cuál era el más importante de los mandamientos de Dios.

Sagrada Escritura

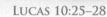

LUCAS 10:25–28

El gran mandamiento

Un día, mientras Jesús enseñaba en un pueblito, un hombre que estudiaba los mandamientos le preguntó: "Maestro, ¿qué debo hacer para ser feliz con Dios por siempre?". Jesús le contestó a su vez con otra pregunta: "Cuando estudias la ley de Dios, ¿qué te dice ella?". El hombre respondió: "Amarás al Señor tu Dios con todo tu corazón, con toda tu alma, con todas tus fuerzas y con toda tu mente; y amarás a tu prójimo como a ti mismo". Jesús le dijo: "Correcto. Haz eso y serás feliz con Dios para siempre".

BASADO EN LUCAS 10:25–28

Loving God and Neighbor

What is the greatest commandment?

We want to do the right thing. Commandments help us know the difference between right and wrong. When Jesus was on earth, people wanted to know which one of God's commandments was the greatest.

Scripture

LUKE 10:25–28

The Great Commandment

One day when Jesus was teaching in a small town, a man who studied the commandments asked him, "Teacher, what must I do to be happy with God forever?" Jesus answered with a question of his own. "When you study God's law, what does it tell you?" The man replied, "You shall love the Lord your God with all your heart, with all your being, with all your strength, and with all your mind, and your neighbor as yourself." Jesus said, "You are right. Do this and you will be happy with God forever."

BASED ON LUKE 10:25–28

51

Los diez mandamientos nos resumen lo que está bien y mal. Dios entregó los diez mandamientos al pueblo de Israel y a nosotros por amor. Cumplir los mandamientos nos ayuda a permanecer cerca de Dios.

Los diez mandamientos están divididos en las dos partes del gran mandamiento. Los tres primeros mandamientos nos enseñan a amar a Dios. Los siete restantes nos enseñan a amarnos a nosotros mismos y al prójimo. Cuando Jesús le dijo al hombre que estaba correcto, le decía a él y a nosotros que el mandamiento más importante es el amor.

Los diez mandamientos nos enseñan a vivir como Dios quiere que vivamos. Nos dicen cómo amar a Dios, a nosotros mismos y al prójimo. Nos muestran el camino a la felicidad verdadera.

❓ **¿Qué trataba Jesús de decirle al hombre?**

❓ **¿Cuándo te sientes feliz de cumplir un mandamiento?**

La fe en el hogar

Lean el relato de la Sagrada Escritura con su hijo o hija. Comenten las respuestas a las preguntas. Señalen situaciones de la familia o de la vida escolar de su hijo o hija en las que hay leyes y reglas que cumplir. Hablen de los resultados positivos que se obtienen cuando todo el mundo respeta la ley o las reglas. Comenten cómo se puede vivir el gran mandamiento.

Comparte

Haz un dibujo En una hoja de papel aparte, haz un dibujo de una ocasión en la que hayas cumplido el gran mandamiento.

The Ten Commandments sum up for us what is right and wrong. Out of love, God gave the Ten Commandments to the people of Israel and to us. Following the commandments helps people stay close to God.

The Ten Commandments are divided into the two parts of the Great Commandment. The first three commandments show us how we are to love God. The last seven show us how to love ourselves and others. When Jesus told the man he was right, he was telling him and us that love is the greatest commandment.

The Ten Commandments show us how to live as God wants us to live. They tell us how to love God, ourselves, and others. They show us the way to real happiness.

❓ **What was Jesus trying to tell the man?**

❓ **When does following a commandment make you happy?**

Share

Draw a picture On a separate sheet of paper, draw a picture of a time you followed the Great Commandment.

El examen de conciencia

Preceptos de la Iglesia

Los preceptos de la Iglesia son leyes útiles que ha hecho la Iglesia. Nos ayudan a saber las cosas básicas que debemos hacer para crecer en el amor a Dios y al prójimo. En la página 142 aparece una lista de los preceptos.

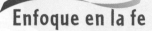

Enfoque en la fe

¿Qué sucede durante el examen de conciencia?

Cuando nos preparamos para recibir el sacramento de la reconciliación, examinamos nuestra conciencia. Así como Dios nos da el don del libre albedrío, nos da también el don de la conciencia. La **conciencia** nos ayuda a reconocer la diferencia entre lo correcto y lo incorrecto, entre el bien y el mal. Nos ayuda también a saber si algo que ya hicimos fue correcto o incorrecto. Necesitamos orar y aprender las enseñanzas de Jesús para fortalecer nuestra conciencia. Esto ayudará a que nuestra conciencia nos conduzca por la senda correcta.

Éstas son algunas de las preguntas que nos hacemos durante el **examen de conciencia**:

- ¿Viví como Jesús quiere que viva?
- ¿Fui a misa el domingo?
- ¿Amé a mi familia y le mostré respeto a todos sus miembros?
- ¿Compartí mi tiempo y mis cosas con los demás?
- ¿Dije la verdad, devolví lo que no es mío y traté a los demás de manera justa?

The Examination of Conscience

Precepts of the Church

Precepts of the Church are helpful laws made by the Church. They help us know the basic things we must do to grow in love of God and neighbor. A list of the precepts is on page 143.

Faith Focus

What happens during the examination of conscience?

When we prepare to receive the Sacrament of Reconciliation, we examine our conscience. Just as God gives us the gift of free will, he also gives us the gift of conscience. **Conscience** helps us know the difference between right and wrong, good and evil. It also helps us know whether something we already did was right or wrong. We need to pray and learn Jesus' teachings to make our conscience strong. This will help our conscience point us in the right direction.

Here are some questions we ask ourselves during the **examination of conscience**:

- Did I live as Jesus wants me to?
- Did I go to Mass on Sunday?
- Did I love and respect my family members?
- Did I share my time and things with others?
- Did I tell the truth, return others' belongings, and treat people fairly?

Escuchamos la Palabra de Dios

Cuando examinamos nuestra conciencia, podemos usar la Sagrada Escritura. A menudo, escuchamos la Sagrada Escritura durante la celebración del sacramento de la reconciliación. Cuando recibimos el sacramento individualmente, el sacerdote puede leer la Sagrada Escritura o puede pedirnos que leamos nosotros uno de sus relatos.

Cuando celebramos el sacramento con la comunidad, empezamos con una celebración de la Palabra de Dios. Escuchamos una o más lecturas y el sacerdote da una homilía. Las lecturas y la homilía nos ayudan a oír la voz de Dios. Nos recuerdan que Dios quiere perdonarnos.

Después de la homilía, hay un período de silencio en el que pensamos devotamente en nuestra vida.

❓ **¿Qué relato de la Sagrada Escritura escogerás para tu examen de conciencia?**

La fe en el hogar

Comenten la respuesta de su hijo o hija a la pregunta. Sigan las pautas de la página 148 al final de este libro para realizar el examen de conciencia.

We Listen to God's Word

When we examine our conscience, we can use Scripture. We often listen to Scripture during the celebration of the Sacrament of Reconciliation. When we receive the sacrament individually, the priest may read the Scripture. Or he may ask us to read a scripture story.

When we celebrate the sacrament with the community, we begin with a Celebration of the Word of God. We listen to one or more readings, and the priest gives a homily. The readings and homily help us hear God's voice. They remind us that God wants to forgive us.

After the homily there is a period of silence. We prayerfully think about our lives.

❓ **Which scripture story will you choose for your examination of conscience?**

Faith at Home

Discuss your child's answer to the question. Use page 149 in the back of this book to go over the guidelines for the examination of conscience.

Demostrar amor

VIVAMOS Live

Responde

Termina la oración Termina la oración escribiendo o dibujando en cada espacio.

Querido Dios: demostraré mi amor por ti mediante

También amo a los demás. Demostraré mi amor por los demás mediante

Bendición final

Reúnanse y comiencen con la señal de la cruz.

Líder: El Señor dice siempre palabras de perdón y de amor. Pidámosle que nos abra la mente y el corazón a su amor.

Ábrenos el corazón a tu Palabra, para que estemos cada vez más cerca de ti.

Todos: Te rogamos, óyenos.

Líder: Enséñanos tus caminos, oh Señor, para que podamos cumplir tu ley.

Todos: Te rogamos, óyenos.

Showing Love

Respond

Finish the prayer Finish the prayer by writing or drawing in each space.

Dear God,
I will show my love
for you by

HePing in
Church

I love others, too.
I will show my love
for others by

I will people
HeIp
iF They
are sick

La fe en el hogar

Enfoque en la fe

- Nos preparamos para el sacramento de la reconciliación con un examen de conciencia para el que usamos la Palabra de Dios.

- El Espíritu Santo nos guía en nuestro examen de conciencia.

- La conciencia nos ayuda a reconocer lo correcto de lo incorrecto.

Enfoque del rito

Reverenciar la Palabra

La celebración se centró en reverenciar la Palabra. Los niños honraron la Palabra de Dios inclinándose ante la Biblia o colocando la mano sobre ella, mientras el catequista oraba para que la Palabra de Dios los iluminara. Durante la semana, en el momento de repasar con su hijo o hija el relato de la Sagrada Escritura de la lección, usen el texto del líder en la página 44, como oración previa a la lectura del relato en voz alta. Sigan haciendo esto todas las semanas.

Actúa

Compartan juntos Miren con la familia un vídeo, una película o un programa de televisión preferido. Después conversen sobre la forma en que los personajes viven o no el gran mandamiento. Luego compartan entre todos ejemplos de personas que ustedes sepan que viven bien este mandamiento en su vida cotidiana.

Oren juntos Hagan un examen de conciencia devoto y colectivo entre toda la familia. Lean el relato de la Sagrada Escritura de esta lección. Inviten a los miembros de la familia a mencionar ocasiones en que uno de ustedes vivió el gran mandamiento. Escojan una manera en que su familia vivirá de acuerdo con este mandamiento la semana próxima. Concluyan rezando el padrenuestro.

Oración en familia

Dios, Padre nuestro, gracias por darnos el don de la conciencia. Ayúdanos a ser miembros de nuestra familia nobles y bondadosos. Haznos una familia que te ama y que ama a todas las personas de nuestra vida. Amén.

Faith at Home

Faith Focus

- We prepare for the Sacrament of Reconciliation with an examination of conscience, using the word of God.

- The Holy Spirit guides us in examining our conscience.

- Conscience helps us know right from wrong.

Ritual Focus

Reverencing the Word

The celebration focused on Reverencing the Word. The children honored God's word by bowing before the Bible or placing their hand on it while the catechist prayed that God's word would enlighten them. When you review the lesson's scripture story with your child, use the Leader's text on page 45 as a prayer before reading the story aloud. Continue to do this each week.

Act

Share Together   With your family, watch a favorite video, movie, or TV show. Afterward, discuss how the characters were or were not living the Great Commandment. Then ask family members to share examples of people they know who live this commandment well in their daily lives.

Do Together   Do a prayerful communal examination of conscience with the whole family. Read the scripture story from this lesson. Invite family members to name times when one of you lived the Great Commandment. Decide one way your family will live out this commandment in the next week. Conclude by praying the Lord's Prayer.

Family Prayer

God, our Father, thank you for giving us the gift of conscience. Help us to be kind and helpful family members. Make us a family that loves you and all the people in our lives. Amen.

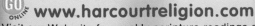

GO ONLINE **www.harcourtreligion.com**
Visit our Web site for weekly scripture readings and questions, family resources, and more activities.

4 Nos arrepentimos

Nos reunimos

Procesión

Avancen lentamente. Sigan a la persona que lleva la Biblia.

Líder: Oremos.

> Hagan juntos la señal de la cruz.

Escuchamos

Líder: Padre amado, envíanos al Espíritu Santo para que nos abra los oídos y el corazón de manera que podamos oír tu Palabra y nos llene del valor para vivirla. Te lo pedimos por Jesucristo, nuestro Señor.

Todos: Amén.

Líder: Lectura del santo Evangelio según san Lucas.

Todos: Gloria a ti, Señor.

Líder: Lean Lucas 7:36–38, 44–48, 50.

Palabra del Señor.

Todos: Gloria a ti, Señor Jesús.

> Siéntense en silencio.

4 We Are Sorry

We Gather

Procession

As you sing, walk forward slowly. Follow the person carrying the Bible.

 Sing together.

Remember your love and your faithfulness, O Lord.
Remember your people and have mercy on us, Lord.

© 1973, 1978 Damean Music

Leader: Let us pray.

Make the Sign of the Cross together.

We Listen

Leader: Loving Father, send us the Holy Spirit to open our ears and hearts that we may hear your word and be filled with the courage to live it. We ask this through Jesus Christ our Lord.

All: Amen.

Leader: A reading from the holy Gospel according to Luke.

All: Glory to you, Lord.

Leader: Read Luke 7:36–38, 44–48, 50.

The Gospel of the Lord.

All: Praise to you, Lord Jesus Christ.

Sit silently.

Enfoque del rito: Examen de conciencia y oración del penitente

Líder: La mujer pecadora mostró arrepentimiento. Pensemos en algo de lo que nos arrepentimos.

Durante este momento de silencio, usa estas preguntas para examinar tu conciencia.

Líder: ¿He amado y honrado a Dios?

¿He santificado el domingo?

¿He obedecido a mis padres?

¿He compartido con los demás?

¿Soy amable con los demás?

¿He dicho la verdad?

Oremos.

Arrodíllense.

Todos: Dios mío, me arrepiento de todo corazón de todo lo malo que he hecho y de todo lo bueno que he dejado de hacer, porque pecando te he ofendido a ti, que eres el sumo bien y digno de ser amado sobre todas las cosas. Propongo firmemente, con tu gracia, cumplir la penitencia, no volver a pecar y evitar las ocasiones de pecado. Perdóname, Señor, por los méritos de la pasión de nuestro salvador Jesucristo.

Pónganse de pie.

Evangelicemos

Líder: Dios, nuestro Señor, tú conoces todas las cosas. Queremos ser más generosos al servirte. Míranos con amor y oye nuestra oración.

Todos: Amén.

Ritual Focus: Examination of Conscience and Act of Contrition

Leader: The sinful woman showed sorrow. Let us think about what we are sorry for.

During this quiet time, use these questions to examine your conscience.

Leader: Did I love and honor God?

Did I keep Sunday as a holy day?

Did I obey my parents?

Did I share with others?

Am I kind to others?

Did I tell the truth?

Let us pray.

Kneel.

All: My God, I am sorry for my sins with all my heart. In choosing to do wrong and failing to do good, I have sinned against you whom I should love above all things. I firmly intend, with your help, to do penance, to sin no more, and to avoid whatever leads me to sin. Our Savior, Jesus Christ, suffered and died for us. In his name, my God, have mercy.

Stand.

We Go Forth

Leader: Lord, our God, you know all things. We want to be more generous in serving you. Look on us with love and hear our prayer.

All: Amen.

Pesar por los pecados

Arrodillarse

Arrodillarse es una forma de rezar con nuestro cuerpo. Cuando nos ponemos de rodillas, le estamos diciendo a Dios que Él es importante para nosotros. Dependemos de Él. Arrodillarse es también una forma de decir que nos arrepentimos de nuestros pecados y que queremos que nos perdone. Es una oración de penitencia.

Reflexiona

Examen de conciencia y oración del penitente   En las dos secciones siguientes, haz un dibujo en el que estés pensando en tus actos y otro en el qué estés diciendo a Dios que te arrepientes.

Pensando en mis actos

Diciéndole a Dios que me arrepiento

Sorrow for Sin

Kneeling

Kneeling is a way we pray with our bodies. When we get on our knees, we are telling God that he is important to us. We depend on him. Kneeling is also a way of saying we are sorry for our sins and we want to be forgiven. It is a prayer of penitence.

Reflect

Examination of Conscience and Act of Contrition In the two sections below, draw a picture of yourself thinking about your actions and then telling God you are sorry.

Thinking about my actions

Telling God I am sorry

Pedir perdón

Cuando no somos bondadosos con nuestros amigos o nuestra familia, causamos daño a nuestra amistad con ellos. Nos sentimos apenados o tristes. Deseamos no haber actuado de esa manera. Queremos hacer bien las cosas. Les decimos que nos arrepentimos por lo que hicimos. Prometemos no volverlo a hacer. Nos reconciliamos.

Cuando pecamos, hacemos cosas que causan daño a nuestra amistad con Dios y con los demás. Cuando examinamos nuestra conciencia, rezamos al Espíritu Santo. El Espíritu Santo nos ayuda a recordar cuánto nos ama Dios. Recordamos el buen amigo que es Jesús. El Espíritu Santo nos ayuda a decir a Dios y a los demás: "Estoy arrepentido. Por favor, perdóname".

Signos de fe

Contrición

Contrición es sentir pesar por los pecados. Es la primera acción y la más importante del sacramento de la penitencia. Nos arrepentimos de nuestros pecados porque hemos ignorado a Dios o nos hemos alejado de Él. A veces nos arrepentimos porque amamos mucho a Dios. Otras veces nos arrepentimos porque tenemos miedo de ser castigados por lo que hicimos. La contrición hace que queramos hacer bien las cosas otra vez. Debemos sentir pesar por nuestros pecados para recibir la gracia del sacramento.

Ask for Forgiveness

When we are unkind to our friends or our family, we hurt our friendship with them. We feel sorrow or sadness. We wish we did not act that way. We want to make things right. We tell them that we are sorry for what we did. We promise not to do it again. We make up.

When we sin, we do things that hurt our friendship with God and others. When we examine our conscience, we pray to the Holy Spirit. The Holy Spirit helps us remember how much God loves us. We remember what a good friend Jesus is. The Holy Spirit helps us say to God and to others, "I am sorry. Please forgive me."

SIGNS OF FAITH

Contrition

Contrition is sorrow for sin. It is the first and most important action in the Sacrament of Penance. We are sorry for our sins because we have ignored or turned away from God. Sometimes we are sorry because of how much we love God. Other times we are sorry because we are afraid of being punished for what we did. Contrition makes us want to make things right again. We must have sorrow for our sins to receive the grace of the sacrament.

Los pecadores van a Jesús

Enfoque en la fe

¿De qué manera le dicen las personas a Jesús que están arrepentidas?

Cuando las personas oyeron la Buena Nueva de Jesús sobre el amor de Dios, se arrepintieron de sus pecados. Querían decirle a Jesús lo arrepentidos que estaban.

Sagrada Escritura

LUCAS 7:36–38, 44–48, 50

La mujer arrepentida

Simón, un fariseo, invitó a Jesús a comer con él. Así que Jesús fue a la casa de Simón y se sentó a la mesa.

Una mujer pecadora del pueblo supo que Jesús estaba allí, y compró un frasco de perfume muy caro. Fue hasta la casa de Simón y se paró detrás de Jesús. Lloró y empezó a lavarle los pies a Jesús con sus lágrimas y a secárselos con su cabello. La mujer besó los pies de Jesús y vertió el perfume sobre ellos.

Simón estaba sorprendido. No podía creer que Jesús dejara que una pecadora lo tocara. Se preguntaba si Jesús sabía que la mujer era una pecadora.

Sinners Come to Jesus

Faith Focus

How do people tell Jesus they are sorry?

When people heard Jesus' good news about God's love, they were sorry for their sins. They wanted to tell Jesus how sorry they were.

Scripture

LUKE 7:36–38, 44–48, 50

A Woman Who Was Sorry

Simon, a Pharisee, invited Jesus to have dinner with him. So Jesus went to Simon's home and sat at the table.

When a sinful woman in the town found out that Jesus was there, she bought an expensive jar of oil. She went to Simon's home and stood behind Jesus. She cried and started washing Jesus' feet with her tears and drying them with her hair. The woman kissed Jesus' feet and poured the oil on them.

Simon was surprised. He could not believe Jesus would let a sinner touch him. He wondered if Jesus knew that the woman was a sinner.

Jesús le dijo a Simón: "Simón, tengo algo que decirte. Cuando vine a tu casa, no me diste agua para lavarme los pies. Pero esta mujer lavó mis pies con sus lágrimas y los secó con su cabello. No me recibiste con un beso, pero ella no dejó de besarme los pies. No ungiste mi cabeza con aceite, pero ella derramó sobre mis pies un perfume caro.

Así que te digo, sus muchos pecados han sido perdonados. Ella demostró gran amor". Entonces Jesús dijo a la mujer: "Tus pecados están perdonados. Tu fe te ha salvado. Vete en paz".

BASADO EN LUCAS 7:36–38, 44–48, 50

❓ **¿De qué manera le demostró la mujer a Jesús que estaba arrepentida de sus pecados?**

❓ **¿Cómo le dices a Jesús que estás arrepentido?**

La fe en el hogar

Lean el relato de la Sagrada Escritura con su hijo o hija. Comenten las respuestas a las preguntas. Hablen de las diferentes formas en que los miembros de la familia dicen que están arrepentidos cuando han hecho algo malo.

Comparte

Escribe una oración Escribe a Jesús tu propia oración de pesar.

_____

_____

_____

Jesus said to Simon, "Simon, I have something to say to you... When I came into your home, you did not give me water to clean my feet. But this woman has washed my feet with her tears and dried them with her hair. You did not greet me with a kiss, but she has not stopped kissing my feet. You did not anoint my head with oil, but she anointed my feet with expensive oil.

"So I tell you, her many sins have been forgiven. She has shown great love." Then Jesus said to the woman, "Your sins are forgiven... Your faith has saved you; go in peace."

BASED ON LUKE 7:36–38, 44–48, 50

❓ **How did the woman show Jesus she was sorry for her sins?**

❓ **How do you tell Jesus you are sorry?**

Faith at Home

Read the scripture story with your child. Discuss the responses to the questions. Talk about different ways family members can say they are sorry when they have done something wrong.

Share

Write a prayer Write your own prayer of sorrow to Jesus.

sorry I wont do it agian

La confesión del pecado

SIGNOS DE FE

Penitente
Una persona que busca el perdón en el sacramento de la penitencia se llama **penitente**.

Enfoque en la fe

¿Por qué confesamos nuestros pecados?

La mujer de la Sagrada Escritura le demostró a Jesús que estaba arrepentida de sus pecados. Quería ser amiga de Jesús. En el sacramento de la reconciliación, demostramos que nos arrepentimos.

- Admitimos que hemos hecho algo malo. Esto se llama **confesión**. Debemos confesar siempre nuestros pecados mortales antes de tomar la sagrada comunión. Es bueno para nosotros confesar frecuentemente nuestros pecados veniales. La confesión siempre ayuda a que nuestra amistad con Dios se fortalezca.

- Decimos "Estoy arrepentido". Esto se llama contrición.

- Planeamos las cosas por anticipado, de manera que la próxima vez no actuemos sin amor. Esto se llama firme propósito de enmienda.

- Hacemos la penitencia que el sacerdote nos ordena. Una **penitencia** es una oración o una acción que hacemos para demostrar que estamos realmente arrepentidos.

The Confession of Sin

Penitent

A person who seeks forgiveness in the Sacrament of Penance is called a **penitent**.

Faith Focus

Why do we confess our sins?

The woman in the scripture story showed Jesus she was sorry for her sins. She wanted to be Jesus' friend. In the Sacrament of Reconciliation, we show we are sorry.

- We admit we have done something wrong. This is called **confession**. We must always confess our mortal sins before going to Holy Communion. It is good for us to confess our venial sins often. Confession always helps our friendship with God grow stronger.

- We say, "I am sorry." This is called contrition.

- We plan ahead, so we will not act unlovingly the next time. This is called firm purpose of amendment.

- We do the penance the priest gives us. A **penance** is a prayer or action that we do to show we are really sorry.

Pesar y penitencia

En el sacramento de la reconciliación, confesamos nuestros pecados al sacerdote. Al sacerdote se le llama **confesor**. Cuando escucha nuestra confesión, actúa como ministro de Dios. Hablamos con el sacerdote acerca de cómo podemos hacer bien las cosas y ser mejores.

Luego el sacerdote nos da una penitencia. La penitencia puede ser realizar un acto bueno relacionado con el pecado, tal como devolver la propiedad robada. También puede ser un acto que demuestre que deseamos cambiar, por ejemplo, ser amables. A menudo puede ser decir oraciones.

Cumplir la penitencia nos ayuda a asumir la responsabilidad de nuestras acciones. Nos hace pensar en cómo nuestras elecciones podrían causar daño a los demás.

Después de que aceptamos nuestra penitencia, rezamos una oración del penitente. La oración del penitente es una oración de pesar. Le decimos a Dios que estamos arrepentidos y que queremos ser mejores. Le pedimos a Dios que nos ayude a evitar la tentación.

? ¿Cómo nos ayuda la confesión?

La fe en el hogar

Comenten la respuesta a la pregunta. Hablen sobre la diferencia que existe entre alguien que sólo dice "Perdón" y alguien que demuestra que está realmente arrepentido. Usen la página 64 para ayudar a su hijo o hija a aprender una oración del penitente.

Sorrow and Penance

In the Sacrament of Reconciliation, we confess our sins to the priest. He is called the **confessor**. He acts as God's minister when he listens to our confession. We talk with the priest about how we can make things right and do better.

Then the priest gives us a penance. The penance may be doing a good act connected to the sin, such as returning stolen property. It may also be an action that shows that we are willing to change, such as being kind. Often it is saying prayers.

Doing the penance helps us take responsibility for our actions. It reminds us to think about how our choices might hurt others.

After we accept our penance, we pray an Act of Contrition. The Act of Contrition is a prayer of sorrow. We tell God we are sorry and want to do better. We ask God to help us avoid temptation.

❓ How does confession help us?

Faith at Home

Discuss the response to the question. Talk about the difference between someone just saying "I am sorry," and someone showing that he or she is really sorry. Use page 65 to help your child learn an Act of Contrition.

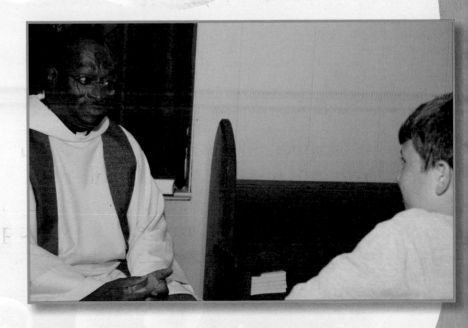

Demostrar pesar

Responde

Cuenta un relato   Cuenta un relato sobre una ocasión en que te arrepentiste. Haz un dibujo en cada espacio. Escribe una oración acerca de cada dibujo.

Bendición final

Reúnanse y comiencen con la señal de la cruz.

Líder: Señor, míranos y oye nuestra oración. Danos fuerza para alejarnos del pecado.

Todos: Señor, oye nuestra oración.

Líder: Ayúdanos a arrepentirnos de nuestros pecados y a cambiar para que podamos ser mejores.

Todos: Señor, oye nuestra oración.

Líder: Ayúdanos a confiar en tu bondad y a ser tus hijos generosos.

Todos: Señor, oye nuestra oración.

Showing Sorrow

Respond

Tell a story Tell a story about a time you were sorry. Draw a picture in each space. Write a sentence about each picture.

Closing Blessing

Gather and begin with the Sign of the Cross.

Leader: Lord, look on us and hear our prayer. Give us strength to turn away from sin.

All: Lord, hear our prayer.

Leader: Help us to be sorry for our sins and to change so we can do better.

All: Lord, hear our prayer.

Leader: Help us to trust in your goodness and to be your generous children.

All: Lord, hear our prayer.

♪ Sing together.

Remember your love and your faithfulness, O Lord. Remember your people and have mercy on us, Lord.

La fe en el hogar

Enfoque en la fe

- El Espíritu Santo nos ayuda a arrepentirnos de nuestros pecados.
- Sentir pesar por los pecados es una parte importante del sacramento de la reconciliación.
- Una penitencia es una oración o una acción que nos da el sacerdote para ayudarnos a demostrar que estamos realmente arrepentidos.

Enfoque del rito
Examen de conciencia y oración del penitente

La celebración se centró en el examen de conciencia y en la oración del penitente. Los niños pasaron un momento de silencio pensando en sus propias acciones. Esta semana, pase momentos de silencio con su hijo o hija y usen las preguntas de la página 64 para repasar cada día. Empiecen con la oración al Espíritu Santo de la página 146.

Actúa

Compartan juntos Todos nosotros usamos la palabra "Perdón". La usamos cuando tropezamos con alguien. La usamos cuando hemos lastimado a alguien. Comenten los significados diferentes de esta palabra. Pida a los miembros de la familia que piensen en una ocasión en que pidieron perdón. Hablen sobre cómo le dijeron a la persona que lo perdonara, que estaban arrepentidos, y qué sucedió después de que expresaron su pesar.

Actúen juntos Lean en familia la oración del penitente de la página 64. Comenten cada frase de la oración e invite a los miembros de la familia a dar ejemplos de su vida acerca de lo que significa cada frase para ellos. Hablen sobre formas diferentes de reparar las cosas mal hechas. Luego recen juntos la oración del penitente.

Oración en familia

Padre amoroso, envíanos a tu Espíritu Santo para que nos ayude a comprender cuándo nuestras acciones causan daño a los miembros de nuestra familia. Danos la fuerza para decir a Dios y para decirnos los unos a los otros que estamos arrepentidos y que, en el futuro, seremos mejores. Te lo pedimos en el nombre de Jesús. Amén.

Faith at Home

Faith Focus

- The Holy Spirit helps us feel sorry for our sins.

- Sorrow for sin is an important part of the Sacrament of Reconciliation.

- A penance is a prayer or action given by the priest to help us show that we are really sorry.

Ritual Focus
Examination of Conscience and Act of Contrition

The celebration focused on the Examination of Conscience and Act of Contrition. The children spent quiet time thinking about their own actions. This week spend some quiet time with your child, and together use the questions on page 65 to review each day. Begin your quiet time with the Prayer to the Holy Spirit on page 147.

Act

Share Together   All of us use the phrase "I'm sorry." We use it when we bump into someone. We use it when we have hurt someone. We use it to respond to someone who tells us something sad. Discuss the different meanings of these words. Ask family members to think about a time they were sorry. Talk about how they let the person know they were sorry and what happened after they expressed their sorrow.

Do Together   As a family, read the Act of Contrition on page 65. Discuss each phrase of the prayer, and invite family members to give examples from their own lives of what each phrase means to them. Talk about different ways to make amends for wrongdoings. Then pray the Act of Contrition together.

Family Prayer

Loving Father, send your Holy Spirit to help us understand when our actions hurt others in our family. Give us the strength to tell God and one another we are sorry and to do better in the future. We ask this in Jesus' name. Amen.

5 Recibimos el perdón

Nos reunimos

Procesión

Avancen lentamente. Sigan a la persona que lleva la Biblia.

Líder: Oremos.

Hagan juntos la señal de la cruz.

Escuchamos

Líder: Padre bueno y bondadoso, tú, que siempre estás preparado para perdonarnos, envíanos al Espíritu Santo. Abre nuestro corazón y nuestro espíritu para que conozcamos tu amor indulgente. Te lo pedimos en el nombre de tu Hijo, Jesús.

Lectura del santo Evangelio según san Lucas.

Todos: Gloria a ti, Señor.

Líder: Lean Lucas 15:11–24.

Palabra del Señor.

Todos: Gloria a ti, Señor Jesús.

Siéntense en silencio.

Chapter 5

We Are Forgiven

We Gather

Procession

As you sing, walk forward slowly. Follow the person carrying the Bible.

 Sing together.

Children of God, in one family,
loved by God, in one family
And no matter what we do
God loves me and God loves you.

Children of God, © Christopher Walker. Published by OCP

Leader: Let us pray.

Make the Sign of the Cross together.

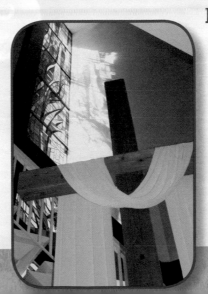

We Listen

Leader: Good and gracious Father, you, who are always ready to forgive us, send us the Holy Spirit. Open our hearts and minds to know your forgiving love. We ask this in the name of your Son, Jesus.

A reading from the holy Gospel according to Luke.

All: Glory to you, Lord.

Leader: Read Luke 15:11–24.

The Gospel of the Lord.

All: Praise to you, Lord Jesus Christ.

Sit silently.

Enfoque del rito: Oración por los niños

Líder: En el relato de la Sagrada Escritura, Jesús nos habló de un padre que amaba mucho a su hijo. El padre esperaba que él volviera a casa. Dios, nuestro padre, también nos ama. Aun cuando nos alejemos de Él, nos espera para recibirnos en casa.

Líder: De uno en uno, acérquense a la mesa de oración.

Coloque las manos extendidas sobre la cabeza de cada niño.

[Nombre], Dios te ama y te perdonará siempre.

Niño: Te alabamos, Señor.

Líder: Pidámosle a Dios, nuestro Padre, que nos perdone y nos libre de todo mal.

Recen juntos el padrenuestro.

Evangelicemos

Líder: Que el Dios de la paz llene tu corazón con cada bendición. Que te fortalezca con el regalo de la esperanza. Que te conceda todo lo bueno.

Todos: Amén.

Ritual Focus: Prayer Over the Children

Leader: In the scripture story, Jesus told us about a father who loved his son very much. The father watched and waited for him to come home. God, our Father, loves us too. Even when we turn from him, he waits to welcome us home.

Leader: One at a time, come forward to the prayer table.

Place your open hands on the head of each child.

[Name], God loves you and will always forgive you.

Child: Thanks be to God.

Leader: Let us ask God, our Father, to forgive us and free us from evil.

Pray the Lord's Prayer together.

We Go Forth

Leader: May the God of peace fill your hearts with every blessing. May he strengthen you with the gift of hope. May he grant you all that is good.

All: Amen.

 Sing the opening song together.

Reconciliación

Imposición de las manos

Jesús usaba el gesto de imponer las manos sobre las personas cuando las bendecía o las curaba. En el sacramento de la reconciliación, el sacerdote extiende las manos o la mano sobre la cabeza del penitente mientras reza la oración del perdón.

Reflexiona

Oración por los niños   Piensa en alguien a quien necesitas perdonar. Escribe y dibuja lo que harás para demostrar perdón a esa persona.

_____

_____

_____

_____

Reconciliation

Laying on of Hands

Jesus used the gesture of laying hands on people when he was blessing or healing them. In the Sacrament of Reconciliation, the priest extends his hands or hand over the head of the penitent as he prays the prayer of forgiveness.

Reflect

Prayer over the Children   Think of someone you need to forgive. Write about and draw what you will do to show your forgiveness to that person.

_____

_____

_____

_____

Reunidos de nuevo

Cuando no somos bondadosos con los demás, causamos daño a nuestra relación con ellos. Nuestros padres, abuelos o maestros confían en que nosotros los obedezcamos. Cuando los desobedecemos, están desilusionados de nosotros.

A veces, hacemos cosas que causan daño a nuestra amistad con los demás. Queremos hacer mejor las cosas. Decimos "Perdón" porque también queremos que nos perdonen. Cuando nos dicen "Te perdono", somos uno con ellos de nuevo. Nos reconciliamos. **Reconciliación** significa "reunir de nuevo".

En el sacramento de la penitencia, Dios siempre está preparado para perdonarnos. Por el poder del Espíritu Santo, nos reconciliamos con Dios y con los demás.

SIGNOS DE FE

El cielo: Juntos para siempre

Dios quiere que seamos uno con Él. Por eso nos perdona. Las personas que no confiesan los pecados mortales estarán alejadas de Dios para siempre. Dios quiere que seamos felices con Él para siempre en el cielo. Así que confesamos nuestros pecados y tratamos de crecer en santidad. Las personas que mueren en la amistad de Dios compartirán, finalmente, la alegría del cielo.

Brought Together Again

When we are unkind to others, we hurt our relationship with them. Our parents, grandparents, or teachers trust us to obey them. When we disobey them, they are disappointed in us.

Sometimes we do things that hurt our friendship with others. We want to make it better. We say, "I am sorry. " We also want to be forgiven. When they say, "I forgive you," we are one with them again. We are reconciled. **Reconciliation** means "bringing together again, or reuniting."

In the Sacrament of Penance, God is always ready to forgive us. Through the power of the Holy Spirit, we are reconciled with God and one another.

Heaven: Together Forever
God want us to be one with him. This is why he forgives us. People who do not confess mortal sins will be separated from God forever. God wants us to be happy with him forever in heaven. So we confess our sins and try to grow in holiness now. People who die in God's friendship will eventually share in the joy of heaven.

Dios quiere perdonar

Enfoque en la fe

¿Qué nos dice Jesús acerca del perdón de Dios?

Jesús recibió a los pecadores. Comió y bebió con ellos. Los curó y les perdonó los pecados. También contó relatos para ayudar a las personas a entender cuánto quería perdonarlos Dios, su Padre.

Sagrada Escritura

LUCAS 15:11–24

El padre indulgente

Una vez, Jesús contó este relato. Un hombre tenía dos hijos. El menor le dijo a su padre: "Padre, dame la parte que me corresponde del dinero de la familia". Entonces el padre dividió el dinero de la familia entre sus dos hijos.

Unos pocos días después, el hijo menor dejó la casa de su padre. Tomó todas sus pertenencias y se fue a un país lejano. Derrochó todo su dinero. Entonces, estaba tan hambriento, que pensó en comer la comida que los granjeros daban a los cerdos.

El hijo pensó en la gente que trabajaba para su padre. Sabía que tenían lo suficiente para comer y decidió volver a su casa. Quería decirle a su padre que estaba arrepentido. Esperaba que su padre le diera un trabajo.

God Wants to Forgive

What does Jesus tell us about God's forgiveness?

Jesus welcomed sinners. He ate and drank with them. He healed them and he forgave their sins. He also told stories to help people understand how much God, his Father, wanted to forgive them.

LUKE 15:11–24

The Forgiving Father

Jesus once told this story: A man had two sons. The younger son said to his father, "Father, give me the share of the family money which is mine." So the father divided the family money between his two sons.

After a few days the younger son left his father's house. He took all of his belongings and went to a faraway country. He wasted all of his money. Then he became so hungry that he thought about eating the food that farmers gave to pigs.

The son thought about the people who worked for his father. He knew they had enough to eat. He decided to go home. He wanted to tell his father he was sorry. He hoped his father would give him a job.

Mientras el hijo estaba aún a bastante distancia, el padre lo vio. ¡El padre estaba tan contento de verlo! Corrió hacia él y lo abrazó y lo besó.

El hijo dijo: "Padre, he pecado contra el cielo y contra ti, no merezco que me llames tu hijo". Pero el padre dijo a los sirvientes que prepararan una fiesta. "Celebremos. Este hijo mío estaba perdido y ha sido encontrado". Entonces empezó la fiesta.

BASADO EN LUCAS 15:11–24

❓ **¿Qué quiere del padre el hijo cuando regresa?**

❓ **¿Qué te dice este relato acerca de Dios?**

La fe en el hogar

Lean el relato de la Sagrada Escritura con su hijo o hija. Comenten las respuestas de su hijo o hija a las preguntas. Hablen acerca de por qué es difícil perdonar a veces.

Comparte

Escribe un enunciado Completa los espacios siguientes para escribir un enunciado sobre el perdón de Dios.

El perdón de Dios es como _____

porque _____.

While the son was still a long way off, his father saw him. The father was so happy to see him! He ran to him and put his arms around him and kissed him.

The son said, "Father I have sinned against heaven and against you; I do not deserve to be called your son." But his father told the servants to prepare a party. He said, "Let us celebrate. This son of mine was lost, and has been found." Then the party began.

BASED ON LUKE 15:11–24

❓ **When the son returns, what does he want from the father?**

❓ **What does this story tell you about God?**

Faith at Home

Read the scripture story with your child. Discuss your child's responses to the questions. Talk about why forgiveness is sometimes difficult.

Share

Write a sentence Fill in the spaces below to complete a sentence about God's forgiveness.

God's forgiveness is like_____

because_____.

El sacramento del perdón

SIGNOS DE FE

Estola morada

Una **estola** es una vestimenta que el sacerdote usa cuando celebra los sacramentos. La estola es un signo de la obediencia del sacerdote a Dios y de su autoridad sacerdotal. Durante el sacramento de la reconciliación, el sacerdote usa una estola morada alrededor del cuello y sobre los hombros. El color morado es un signo de penitencia.

Enfoque en la fe

¿Cómo se perdonan los pecados en el sacramento de la reconciliación?

En el relato de la Sagrada Escritura, el hijo dice a su padre lo que ha hecho mal. Le pide perdón. El padre perdona al hijo y luego lo sorprende. Lo acepta de nuevo en la familia. El hijo está reconciliado.

Hay muchas formas de participar del perdón de Dios. Las formas más importantes están en los sacramentos, especialmente en el sacramento de la reconciliación. Este sacramento hace exactamente lo que dice:

- Perdona nuestros pecados.

- Nos vuelve a reunir con Dios en amistad.

- Nos devuelve a la Iglesia y nos hace miembros más fuertes.

- Nos da paz.

- Sana nuestras relaciones.

- Nos hace uno con toda la creación.

94

The Sacrament of Forgiveness

SIGNS OF FAITH

Purple Stole

A **stole** is a vestment the priest wears when celebrating the sacraments. The stole is a sign of the priest's obedience to God and of his priestly authority. During the Sacrament of Reconciliation, the priest wears a purple stole around his neck and over his shoulders. The color purple is a sign of penance.

Faith Focus

How are sins forgiven in the Sacrament of Reconciliation?

In the scripture story, the son tells his father what he has done wrong. He asks for forgiveness. The father forgives the son and then surprises him. He brings him back into the family. The son is reconciled.

There are many ways we share in God's forgiveness. The most important ways are in the sacraments, especially the Sacrament of Reconciliation. This sacrament does just what it says.

- It forgives our sins.
- It brings us back together with God in friendship.
- It brings us back to the Church and makes us stronger members.
- It brings us peace.
- It heals our relationships.
- It makes us one with all creation.

Perdón y absolución

Dios perdona nuestros pecados en el sacramento de la reconciliación a través del ministerio del sacerdote. Confesamos nuestros pecados, aceptamos nuestra penitencia y rezamos la oración del penitente. Luego el sacerdote extiende las manos sobre nosotros y reza la oración del perdón:

Dios, Padre misericordioso,
que reconcilió al mundo consigo
por la muerte y la resurrección de su Hijo
y envió al Espíritu Santo para el perdón de
    los pecados,
te conceda, por el ministerio de la Iglesia,
el perdón y la paz.
y yo te absuelvo de tus pecados,
en el nombre del Padre, del Hijo
y del Espíritu Santo.

RITUAL DE LA PENITENCIA, 55

Ésta es la oración de **absolución**. *Absolución* significa "perdón". Recibes el perdón de los pecados a través de la Iglesia en el sacramento de la reconciliación.

❓ **¿Qué sucede en el sacramento de la reconciliación?**

La fe en el hogar

Hablen sobre cada uno de los efectos del sacramento. Repasen la respuesta de su hijo o hija a la pregunta de esta página. Usen las páginas 134 y 136 para repasar con su hijo o hija el ritual de la penitencia.

Forgiveness and Absolution

God forgives our sins in the Sacrament of Reconciliation through the ministry of the priest. We confess our sins, accept our penance, and pray an Act of Contrition. Then the priest extends his hands over us and prays this prayer of forgiveness:

> God, the Father of mercies,
> through the death and resurrection of his Son has reconciled the world to himself and sent the Holy Spirit among us
> for the forgiveness of sins;
> through the ministry of the Church
> may God give you pardon and peace,
> and I absolve you from your sins
> in the name of the Father, and of the Son, and of the Holy Spirit.

RITE OF PENANCE, 55

This prayer is the prayer of **absolution**. *Absolution* means "forgiveness." You receive God's forgiveness through the Church in the Sacrament of Reconciliation.

❓ **What happens in the Sacrament of Reconciliation?**

Faith at Home

Talk about each of the effects of the Sacrament. Review your child's response to the question on this page. Use pages 135 and 137 to review the Rite of Penance with your child.

Servimos a los demás

Responde

Escribe un relato Di cómo vas a demostrar perdón esta semana.

_____

_____

_____

_____

_____

_____

Bendición final

Reúnanse y comiencen con la señal de la cruz.

Líder: Dios, Padre nuestro, en tu bondad, perdona nuestros pecados.

Todos: Señor, oye nuestra oración.

Líder: Jesús, nuestro Salvador, recíbenos y muéstranos tu misericordia.

Todos: Señor, oye nuestra oración.

Líder: Espíritu Santo, llénanos con el regalo del perdón, para que podamos perdonar a los demás así como somos perdonados.

Todos: Señor, oye nuestra oración.

Serving Others

Respond

Write a story Tell how you will show forgiveness this week.

_____

_____

_____

_____

_____

_____

Closing Blessing

Gather and begin with the Sign of the Cross.

Leader: God, our Father, in your goodness, forgive us our sins.

All: Lord, hear our prayer.

Leader: Jesus, our Savior, welcome us and show us your mercy.

All: Lord, hear our prayer.

Leader: Holy Spirit, fill us with the gift of forgiveness, that we may forgive others as we are forgiven.

All: Lord, hear our prayer.

 Sing together.

Children of God, in one family
loved by God, in one family
And no matter what we do
God loves me and God loves you.

Children of God, © Christopher Walker. Published by OCP

La fe en el hogar

Enfoque en la fe

- Dios está siempre preparado para perdonarnos.

- Dios quiere que seamos uno con Él. *Reconciliación* significa "reunir de nuevo".

- Por el poder del Espíritu Santo y el ministerio del sacerdote, se nos perdonan nuestros pecados.

Enfoque del rito

Oración por los niños

La celebración se centró en el amor y el perdón de Dios. Los niños avanzaron y el catequista extendió las manos sobre la cabeza de cada uno, recordándoles que Dios los ama y los perdona. Rezaron el padrenuestro. Durante la semana, usen el texto de la página 144 para rezar juntos el padrenuestro.

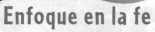
www.harcourtreligion.com
Visite nuestro sitio Web y encontrará lecturas semanales de la Sagrada Escritura y preguntas, recursos para la familia y otras actividades.

Actúa

Compartan juntos Lean los tres relatos del capítulo 15 del Evangelio según san Lucas. Explique que Jesús contó estos relatos para demostrar cuánto ama Dios a los pecadores y cuánto quiere perdonarlos. Pida a los miembros de la familia que compartan sus respuestas a estas preguntas: ¿Qué nos dice Jesús sobre Dios? ¿Cuál de estos tres relatos te gustó más? ¿Por qué?

Actúen juntos Compartan relatos sobre algunas personas a las que se perdonó o perdonaron a otras. Hablen de cuándo es difícil perdonar a los demás. Lean Lucas 15:11–24. Escriban una oración en familia para pedir al Espíritu Santo que los ayude a ser indulgentes los unos con los otros. Recen juntos la oración cuando se reúnan para comer, a la hora de ir a dormir o antes de una reunión familiar.

Oración en familia

Querido Dios, eres tan generoso en tu amor por nosotros. Siempre nos recibes cuando regresamos. Ayúdanos a ser generosos en nuestro perdón de los demás. Amén.

Faith at Home

Faith Focus

- God is always ready to forgive us.

- God wants us to be one with him. *Reconciliation* means "bringing together again, or reuniting."

- Through the power of the Holy Spirit and the ministry of the priest, our sins are forgiven.

Ritual Focus

Prayer Over the Children

The celebration focused on God's love and forgiveness. The children came forward and the catechist extended hands over each of their heads, reminding them that God loves and forgives them. They prayed the Lord's Prayer. During the week, use the text on page 145 to pray the Lord's Prayer together.

Act

Share Together   Read the three stories in chapter 15 of the Gospel according to Luke. Explain that Jesus told these stories to show how much God loves sinners and wants to forgive them. Ask family members to share their responses to these questions: What is Jesus telling us about God? Which of the three stories do you like the best? Why?

Do Together   Share some stories about individuals who were forgiven or forgave someone else. Talk about when it is hard to forgive others. Read Luke 15:11–24. Write a family prayer asking the Holy Spirit to help you be forgiving to one another. Pray the prayer together when you gather for meals, at bedtime, or before a family gathering.

Family Prayer

Dear God, you are so generous in your love for us. You always welcome us back. Help us to be generous in our forgiveness of others. Amen.

6 Evangelicemos

Nos reunimos

Procesión

Avancen lentamente. Sigan a la persona que lleva la Biblia.

Líder: Oremos.

Hagan juntos la señal de la cruz.

Escuchamos

Líder: Padre amado, nos reunimos en tu presencia para recordar que somos tus hijos. Tú nos llamas a ser hijos de la luz. Abre nuestro corazón al Espíritu Santo para que comprendamos tu Palabra. Te lo pedimos por Jesucristo, nuestro Señor.

Todos: Amén.

Líder: Lectura del santo Evangelio según san Juan.

Todos: Gloria a ti, Señor.

Líder: Lean Juan 20:19–23.

Palabra del Señor.

Todos: Gloria a ti, Señor Jesús.

Siéntense en silencio.

6 We Go Forth

We Gather

Procession

As you sing, walk forward slowly. Follow the person carrying the Bible.

 Sing together.

We're all coming back together
With our God and family.
We're all coming back together
Building the kingdom for everyone.
Building the kingdom for everyone.

© 2005 John Burland

Leader: Let us pray.

Make the Sign of the Cross together.

We Listen

Leader: Loving Father, we come together in your presence to remember that we are your children. You call us to be children of the light. Open our hearts to the Holy Spirit that we will understand your word. We ask this through Jesus Christ our Lord.

All: Amen.

Leader: A reading from the holy Gospel according to John.

All: Glory to you, Lord.

Leader: Read John 20:19–23.

The Gospel of the Lord.

All: Praise to you, Lord Jesus Christ.

Sit silently.

Enfoque del rito: La aspersión del agua y la señal de la paz

Líder: Jesús nos pide que perdonemos a los demás y que traigamos la paz al mundo. A través de nuestro bautismo y del sacramento de la reconciliación, se nos libera del pecado y del mal.

Todos: Amén.

Líder: *Asperja a los niños con agua.*

Ustedes han sido bautizados en Cristo y se les llama a traer su luz al mundo.

Todos: Amén. ¡Aleluya!

Líder: Démonos mutuamente la señal de la paz.

Dénse unos a otros la señal de la paz de Cristo.

Digan: "La paz del Señor esté contigo".
Respondan: "Y contigo".

Evangelicemos

Líder: Dios, Padre nuestro, envíanos al Espíritu Santo, el dador de paz, para que podamos ir como un pueblo de paz y de perdón.

Todos: Te alabamos, Señor.

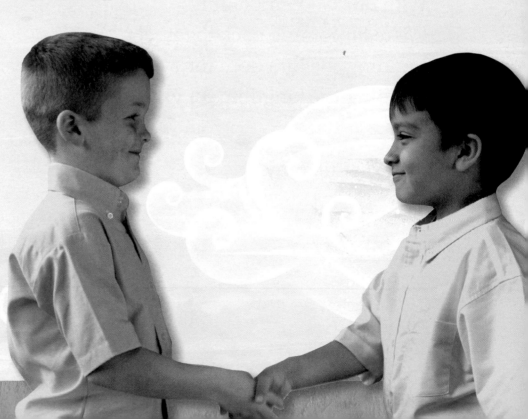

Ritual Focus: Sprinkling with Water and the Sign of Peace

Leader: Jesus asks us to forgive others and to bring peace into the world. Through our Baptism and the Sacrament of Reconciliation, we are freed from sin and evil.

All: Amen.

Leader: Sprinkle the children with water.

You have been baptized in Christ, and you are called to bring his light to the world.

All: Amen. Alleluia!

Leader: Let us offer each other the Sign of Peace.

Offer one another a sign of Christ's peace.

Say: "The Peace of the Lord be with you."

Answer: "And also with you."

We Go Forth

Leader: God, our Father, send us the Holy Spirit, the giver of peace, that we may go forth as a people of peace and forgiveness.

All: Thanks be to God.

 Sing the opening song together.

Compartimos

Aspersión del agua bendita

En algunas misas dominicales durante el tiempo de Pascua, el sacerdote camina por la iglesia y asperje a la asamblea con agua bendita. La aspersión nos recuerda nuestro bautismo. En el bautismo, Dios nos perdona y nos sana. Cuando el sacerdote hace la aspersión del agua, ésta toma el lugar del rito penitencial.

Reflexiona

La aspersión del agua y la señal de la paz Haz una lista de tres cosas que haces para traer la luz de Cristo al mundo.

1. _____

_____

_____

2. _____

_____

_____

3. _____

_____

_____

We Share

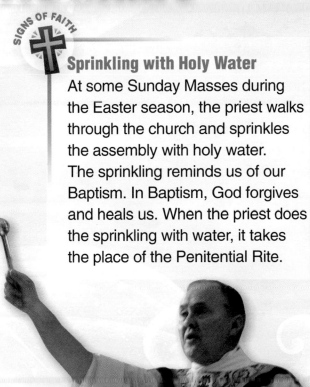

SIGNS OF FAITH

Sprinkling with Holy Water

At some Sunday Masses during the Easter season, the priest walks through the church and sprinkles the assembly with holy water. The sprinkling reminds us of our Baptism. In Baptism, God forgives and heals us. When the priest does the sprinkling with water, it takes the place of the Penitential Rite.

Reflect

Sprinkling with Water and the Sign of Peace   Make a list of three things you do to bring Christ's light into the world.

1. _____

_____

_____

2. _____

_____

_____

3. _____

_____

_____

Nos reconciliamos

Cuando recibimos el sacramento de la reconciliación, crecemos y cambiamos. El sacramento de la reconciliación es un sacramento de conversión. **Conversión** significa "cambiar de una cosa a otra".

Cuando celebramos el sacramento de la reconciliación, nombramos las cosas que se han destruido o han causado daño a nuestra relación con Dios y con los demás. Nos arrepentimos y queremos cambiar. Para mostrar esto, aceptamos la penitencia que nos da el sacerdote.

Recibimos el perdón y la paz de Dios. Por la acción del Espíritu Santo, volvemos a ser uno con Dios y con los demás. Quedamos reconciliados y en paz.

SIGNOS DE FE

La señal de la paz

Durante la misa, antes de la sagrada comunión, intercambiamos la señal de la paz con los demás. La señal de la paz es una acción sagrada. Es un signo de que somos uno en el Cuerpo de Cristo. Cuando nos damos mutuamente la señal de la paz, recordamos que todos somos uno.

We Are Reconciled

We grow and change when we receive the Sacrament of Reconciliation. It is a sacrament of conversion. **Conversion** means "changing or moving away from one thing and toward another."

When we celebrate the Sacrament of Reconciliation, we name the things that have broken or hurt our relationship with God and others. We are sorry and want to change. We accept the penance the priest gives us to show this.

We receive God's forgiveness and peace. Through the action of the Holy Spirit, we are one again with God and others. We are reconciled and at peace.

SIGNS OF FAITH

Sign of Peace
During the Mass, we exchange the Sign of Peace before Holy Communion. The Sign of Peace is a sacred action. It is a sign that we are one in the Body of Christ. When we offer each other the Sign of Peace, we remember that we are all one.

Jesús comparte la paz y el perdón

Enfoque en la fe

¿Qué envió Jesús a hacer a los discípulos?

Mientras Jesús estaba vivo, sus discípulos viajaban predicando y sanando en su nombre. Jesús Resucitado quería que llevaran a cabo su obra de sanación y perdón.

Sagrada Escritura

JUAN 20:19–23

Jesús se aparece a los discípulos

En la tarde de la primera Pascua, los discípulos estaban juntos. Se encerraron en una habitación porque tenían miedo. Sabían que Jesús había resucitado de entre los muertos. Temían que las personas que habían matado a Jesús pudieran venir a buscarlos.

De repente, Jesús apareció en la habitación y dijo: "La paz esté con ustedes". Los discípulos se pusieron muy contentos de verlo. Jesús volvió a decir: "La paz esté con ustedes. Así como el Padre me envió a mí, así los envío yo a ustedes".

Jesus Shares Peace and Forgiveness

Faith Focus

What did Jesus send the disciples to do?

While he was alive, Jesus' disciples traveled, preaching and healing in his name. The Risen Jesus wanted them to carry on his work of healing and forgiveness.

 Scripture

JOHN 20:19–23

Jesus Appears to the Disciples

On the evening of the first Easter, the disciples were together. They locked themselves in a room because they were afraid. They knew Jesus had risen from the dead. They thought the people who had put Jesus to death might come after them.

Suddenly Jesus appeared in the room. He said, "Peace be with you." The disciples were so happy to see him. Jesus again said, "Peace be with you. As the Father has sent me, so I send you."

111

Después de que Jesús dijo "La paz esté con ustedes", sopló sobre los discípulos y les dijo: "Reciban el Espíritu Santo. A quienes ustedes perdonen sus pecados, se les perdonarán; y a quienes ustedes no perdonen sus pecados, no se les perdonarán".

BASADO EN JUAN 20:19–23

❓ ¿Qué crees que Jesús envió a hacer a los discípulos?

❓ ¿Cómo estás perdonando a tus amigos?

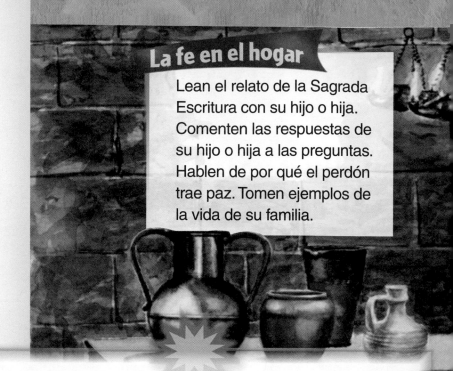

La fe en el hogar

Lean el relato de la Sagrada Escritura con su hijo o hija. Comenten las respuestas de su hijo o hija a las preguntas. Hablen de por qué el perdón trae paz. Tomen ejemplos de la vida de su familia.

Comparte

Haz un dibujo Muestra una manera en que llevas el perdón y la paz a los demás miembros de tu familia.

After Jesus said, "Peace be with you," he breathed on the disciples and said to them, "Receive the Holy Spirit. Whose sins you shall forgive are forgiven them, and whose sins you do not forgive, they are not forgiven."

BASED ON JOHN 20:19–23

❓ **What do you think Jesus was sending the disciples to do?**

❓ **How are you forgiving of your friends?**

Faith at Home

Read the scripture story with your child. Discuss your child's responses to the questions. Talk about ways that forgiveness brings peace. Use examples from your family's life together.

Share

Draw a picture Show one way you bring forgiveness and peace to other members of your family.

Proclamación de alabanza y despedida

SIGNOS DE FE

Obispos y sacerdotes

De una manera especial, la Iglesia continúa la misión de perdón y reconciliación de Jesús a través del ministerio de los obispos y de los sacerdotes. Igual que los Apóstoles, los obispos y los sacerdotes recibieron de Jesús la autoridad de absolver a la gente de sus pecados. Ellos nos enseñan a vivir de acuerdo con la misión de la reconciliación.

Enfoque en la fe

¿Cómo compartimos la reconciliación con los demás?

Jesús quería que sus discípulos supieran que estaban perdonados. Quería que estuvieran en paz. Ellos tenían un trabajo especial, una misión. Jesús los estaba enviando a hacer del mundo un lugar mejor. Quería que llevaran perdón y paz a los demás, así como Él lo hizo. Los estaba llamando a ser reconciliadores.

Hoy la Iglesia continúa la misión de la reconciliación. Nosotros somos reconciliadores cuando hacemos estas cosas:

- perdonamos a los demás
- pedimos perdón
- somos justos con los demás
- actuamos con amabilidad
- compartimos lo que tenemos con aquellos que no tienen
- respetamos a todas las personas porque todos son hijos de Dios

La misión de la reconciliación no siempre es fácil. El Espíritu Santo nos da fuerza y valor para llevarla a cabo.

Proclamation of Praise and Dismissal

Bishops and Priests

In a special way the Church continues Jesus' mission of forgiveness and reconciliation through the ministry of bishops and priests. Like the Apostles, bishops and priests receive from Jesus the authority to absolve people from their sins. They teach us how to live out the mission of reconciliation.

Faith Focus

How do we share reconciliation with others?

Jesus wanted his disciples to know they were forgiven. He wanted them to be at peace. They had a special job, a mission. He was sending them to make the world a better place. He wanted them to bring forgiveness and peace to others, just as he did. He was calling them to be reconcilers.

The Church continues the mission of reconciliation today. We are reconcilers when we do these things:

- forgive others
- ask for forgiveness
- are fair to others
- act with kindness
- share what we have with those who do not have
- respect all people because they are God's children

The mission of reconciliation is not always easy. The Holy Spirit gives us strength and courage to carry it out.

Evangelicen

Al finalizar la celebración de la reconciliación, damos alabanza a Dios por su maravilloso regalo del perdón y la reconciliación.

Después de la oración de absolución, el sacerdote dice: "Den gracias al Señor, porque Él es bueno". Nosotros respondemos: "Porque es eterna su misericordia".

Luego el sacerdote nos despide diciendo: "Demos gracias al Señor porque es bueno. Porque es eterna su misericordia. El Señor te ha perdonado tus pecados. Vete en paz".

RITUAL DE LA PENITENCIA, 47

En el sacramento de la reconciliación nos perdonan los pecados. El Espíritu Santo permanece con nosotros. Él nos ayuda a crecer y a parecernos más a Jesús. Éste es un regalo tan grande que queremos contárselo a todo el mundo. La mejor manera de poder hacerlo es siendo signos del perdón y de la reconciliación de Dios para los demás.

❓ **¿Qué puedes hacer para ser un signo del perdón y de la misericordia de Dios?**

La fe en el hogar

Repasen la respuesta de su hijo o hija a la pregunta. Usen la página 88 para repasar con su hijo o hija el significado de reconciliación.

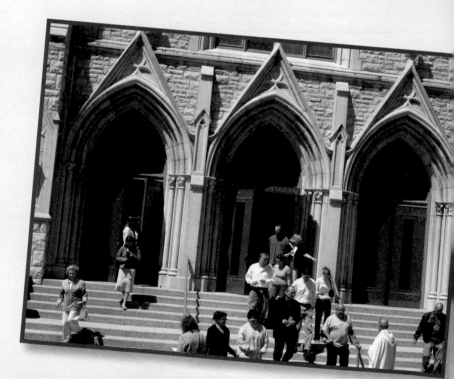

Go Forth

At the end of the celebration of Reconciliation, we give praise to God for his wonderful gift of forgiveness and reconciliation.

After the prayer of absolution, the priest says, "Give thanks to the Lord, for he is good." We respond, "His mercy endures for ever."

Then the priest sends us forth. He says,

> Go in peace,
> and proclaim to the world
> the wonderful works of God
> who has brought you salvation.

RITE OF PENANCE, 47

Our sins are forgiven in the Sacrament of Reconciliation. The Holy Spirit remains with us. He helps us grow and become more like Jesus. This is such a great gift that we want to tell the world about it. The best way we can do that is to be signs of God's forgiveness and reconciliation to others.

❓ **What can you do to be a sign of God's forgiveness and mercy?**

Faith at Home

Review your child's response to the question. Use page 89 to review the meaning of Reconciliation with your child.

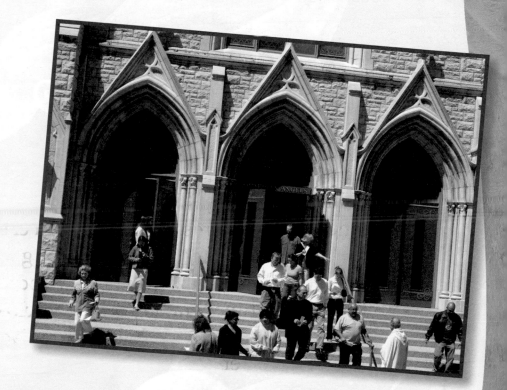

Ser reconciliador

Responde

Llena los círculos En cada uno de los círculos en blanco, escribe una manera en que serás reconciliador esta semana.

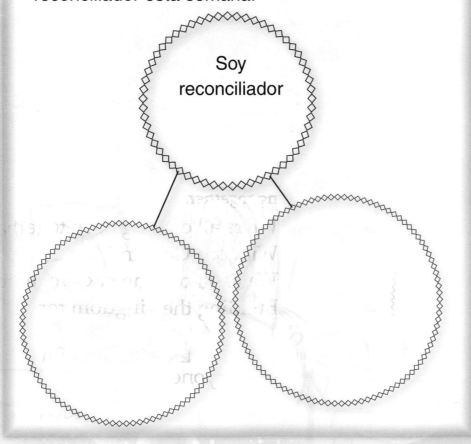

Soy reconciliador

Bendición final

Reúnanse y comiencen con la señal de la cruz.

Líder: Dios y Padre de todos nosotros, tú perdonas nuestros pecados.

Todos: Gracias por tu perdón.

Líder: Jesús, nuestro Salvador, tú nos das el don de la paz.

Todos: Gracias por tu paz.

Líder: Espíritu Santo, tú nos das tu fuerza y tu valor.

Todos: Gracias por tu fuerza y tu valor.

Being a Reconciler

Respond

Fill in the circles In each of the blank circles, write one way you will be a reconciler this week.

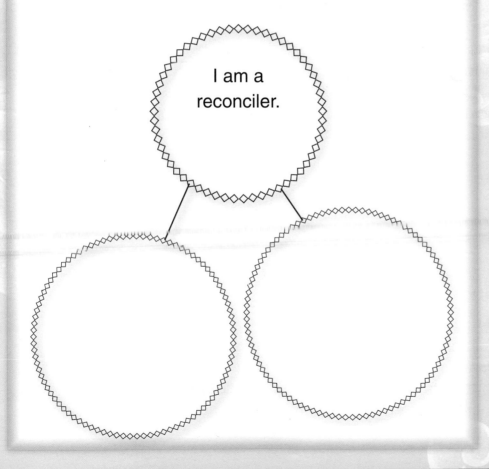

I am a reconciler.

Closing Blessing

Gather and begin with the Sign of the Cross.

Leader: God and Father of us all, you forgive our sins.

All: Thank you for your forgiveness.

Leader: Jesus, our Savior, you give us the gift of peace.

All: Thank you for your peace.

Leader: Holy Spirit, you give us your strength and courage.

All: Thank you for your strength and courage.

 Sing together.

We're all coming back together
With our God and family.
We're all coming back together
Building the kingdom for
everyone.
Building the kingdom for
everyone.

La fe en el hogar

Enfoque en la fe

- El sacramento de la reconciliación es un sacramento de conversión.

- La misión de la reconciliación es llevar perdón y paz a los demás.

- El Espíritu Santo permanece con nosotros para ayudarnos a crecer y a parecernos más a Jesús.

Enfoque del rito

La aspersión del agua y la señal de la paz

La celebración se centró en traer la luz y la paz de Cristo al mundo. Los niños recibieron la aspersión del agua y se ofrecieron mutuamente la señal de la paz. Durante la semana, en los momentos de reunión familiar apropiados, empiecen o terminen la reunión con la señal de la paz.

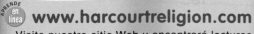

www.harcourtreligion.com
Visite nuestro sitio Web y encontrará lecturas semanales de la Sagrada Escritura y preguntas, recursos para la familia y otras actividades.

Actúa

Compartan juntos Lean Juan 20:19–23 y conversen sobre cómo se deben haber sentido los discípulos cuando Jesús se les apareció. Reflexionen sobre cómo los discípulos se habían apartado de Jesús durante su pasión y muerte, y sin embargo, Jesús les dijo: "La paz esté con ustedes". Concluyan con la oración a san Francisco de la página 146.

Oren juntos Durante la semana próxima, reúnanse, enciendan una vela y recen esta oración: "Hemos sido bautizados en Cristo y se nos llama a traer su luz al mundo". Después pidan a los miembros de la familia que cuenten de qué manera han sido luz para alguien. Recen la oración al Espíritu Santo de la página 146.

Oración en familia

Dios amoroso, te damos gracias y te alabamos por el don de tu misericordia y de tu perdón. Ayúdanos a salir y a divulgar la palabra de tu amor a todos los que conozcamos. Enséñanos a ser reconciliadores en nuestra familia y con nuestros amigos. Amén.

Faith at Home

Faith Focus

- The Sacrament of Reconciliation is a sacrament of conversion.

- The mission of reconciliation is to bring forgiveness and peace to others.

- The Holy Spirit remains with us to help us grow and become more like Jesus.

Ritual Focus

Sprinkling with Water and the Sign of Peace

The celebration focused on bringing Christ's light and peace into the world. The children were sprinkled with water and extended a Sign of Peace to one another. During the week, at appropriate family gathering times, begin or end the gathering with a Sign of Peace.

GO ONLINE **www.harcourtreligion.com**
Visit our Web site for weekly scripture readings and questions, family resources, and more activities.

Act

Share Together   Read John 20:19–23, and discuss how the disciples must have felt when Jesus appeared to them. Reflect on how they had run away from Jesus during his Passion and death. But Jesus just said, "Peace be with you." Conclude with the Prayer of Saint Francis on page 147.

Do Together   During the next week, gather together, light a candle, and pray this prayer: "We have been baptized in Christ and called to bring his light to the world." Then ask family members to share one way they were a light to someone. Pray the Prayer to the Holy Spirit on page 147.

Family Prayer

Gracious God, we give you thanks and praise for the gifts of your mercy and forgiveness. Help us to go out and spread the word of your love to those we meet. Show us how to be reconcilers in our family and with our friends. Amen.

Recursos católicos

Palabras de fe

absolución El perdón de los pecados que recibimos de Dios a través de la Iglesia en el sacramento de la reconciliación.

agua bendita El agua bendecida por un sacerdote con un fin religioso.

bautismo El sacramento que nos hace hijos de Dios y miembros de la Iglesia. Quita el pecado original y todos los pecados personales y nos hace templos del Espíritu Santo.

celebración comunitaria En una celebración comunitaria, la asamblea se reúne para rezar y oír la Palabra de Dios. Luego cada penitente confiesa sus pecados a solas con el sacerdote, recibe una penitencia y se le absuelve.

celebración individual En una celebración individual, el penitente se reúne con el sacerdote en el confesionario. El penitente confiesa sus pecados al sacerdote, recibe una penitencia y se le absuelve.

cirio pascual Vela que se bendice en la Vigilia Pascual y arde durante las misas del tiempo de Pascua. También arde en los bautismos y en los funerales a lo largo del año.

conciencia Don de Dios que nos ayuda a reconocer la diferencia entre el bien y el mal. También nos ayuda a reconocer si algo que ya hicimos estuvo correcto o incorrecto.

confesión Contarle nuestros pecados a un sacerdote en el sacramento de la reconciliación. Lo que confesamos al sacerdote es secreto.

confesionario Una habitación o una capilla donde el confesor o sacerdote escucha la confesión de los pecados del penitente. La habitación tiene generalmente sillas, un reclinatorio, una mesa para la Biblia y una vela. También se puede usar una cortina corrediza para separar al sacerdote del penitente.

confesor Un sacerdote que actúa como ministro de Dios cuando escucha nuestra confesión.

contrición Pesar por los pecados y deseo de mejorar. La contrición es el primer paso hacia el perdón. Como parte del sacramento de la reconciliación, rezamos el acto de contrición o la oración del penitente.

conversión Un sincero cambio de pensamiento, voluntad y corazón para alejarnos del pecado y acercarnos a Dios. El sacramento de la reconciliación es un sacramento de conversión.

estola Una vestimenta que el sacerdote usa alrededor del cuello cuando celebra el sacramento de la reconciliación.

examen de conciencia Una forma devota de analizar nuestra vida a la luz de los diez mandamientos, las bienaventuranzas, la vida de Jesús y las enseñanzas de la Iglesia. Nos ayuda a saber si lo que hemos hecho está correcto o incorrecto.

gracia Una participación en la propia vida de Dios.

pecado La elección de desobedecer a Dios. El pecado es una elección deliberada, no un error ni un accidente. Aceptamos el perdón amoroso de Dios por nuestros pecados cuando mostramos con nuestro arrepentimiento, nuestra voluntad de mejorar.

pecado mortal Un pecado grave que nos separa de la vida de Dios.

pecado original El nombre que damos al primer pecado de los seres humanos. Por haber desobedecido a Dios y haberse alejado de su amistad, el pecado original se transmite a todos nosotros.

pecado venial Un pecado menos grave que debilita nuestra amistad con Dios.

penitencia Una oración o una buena acción con la que demostramos que estamos arrepentidos de nuestros pecados y queremos mejorar. En el sacramento de la reconciliación el sacerdote nos da una penitencia.

penitente La persona que confiesa sus pecados al sacerdote en el sacramento de la reconciliación.

preceptos de la Iglesia Leyes de la Iglesia
que nos ayudan a saber qué debemos
hacer para crecer en el amor a Dios
y al prójimo.

reconciliación Regreso.

sacerdote Un hombre que se ordena
para servir a Dios y a la Iglesia
celebrando los sacramentos,
predicando y presidiendo la misa. El
sacerdote es el confesor o ministro
del sacramento de la reconciliación.
La estola es un signo de la
obediencia del sacerdote a Dios y de
su autoridad sacerdotal.

sacramento Un signo externo que
proviene de Jesús y nos da la gracia, una
participación en la vida de Dios.

sacramento de la penitencia Otra
manera de nombrar el sacramento
de la reconciliación.

sacramento de la reconciliación
Sacramento del perdón mediante el
cual el pecador se reconcilia con
Dios y con la Iglesia.

Sagrada Escritura La palabra de
Dios contenida en la Biblia.
Sagrada Escritura significa "escrito
santo". La Sagrada Escritura se usa
para reflexionar sobre el amor y el
perdón de Dios en el sacramento
de la reconciliación. La Sagrada
Escritura es proclamada por un
lector en la misa, en una celebración
comunitaria o en otras celebraciones
litúrgicas.

Santísima Trinidad Las tres Personas en
un Dios: Dios Padre, Dios Hijo y Dios
Espíritu Santo.

Catholic Source Book

Words of Faith

absolution The forgiveness of sin that we receive from God through the Church in the Sacrament of Reconciliation.

Baptism The sacrament that makes the person a child of God and a member of the Church. It takes away original sin and all personal sin and makes the person a temple of the Holy Spirit.

communal celebration In a communal celebration, the assembly gathers to pray and hear God's word. Each penitent then confesses his or her sins to a priest, receives a penance, and is absolved individually.

confession Telling our sins to a priest in the Sacrament of Reconciliation. What we confess to the priest is private.

confessor A priest who acts as God's minister when he listens to our confession.

conscience God's gift which helps us know the difference between right and wrong. It also helps us recognize whether an action we already did was right or wrong.

contrition Sorrow for sins and a willingness to do better. Contrition is our first step toward forgiveness. As part of the Sacrament of Reconciliation, we pray an Act or Prayer of Contrition.

conversion A sincere change of mind, will, and heart away from sin and toward God. The Sacrament of Reconciliation is a sacrament of conversion.

examination of conscience A prayerful way of looking at our lives in light of the Ten Commandments, the Beatitudes, the life of Jesus, and the teachings of the Church. It helps us know whether what we have done is right or wrong.

grace A sharing in God's own life.

Holy Trinity The three Persons in one God: God the Father, God the Son, and God the Holy Spirit.

holy water Water blessed by the priest for a religious purpose.

individual celebration In an individual celebration, the penitent meets with the priest in the Reconciliation room. The penitent confesses his or her sins to the priest, receives a penance, and is absolved.

mortal sin A serious sin that separates us from God's life.

original sin The name given to the first sin of humans. Because they disobeyed God and turned away from his friendship, original sin is passed to all of us.

Paschal candle A candle that is blessed at Easter Vigil and is burned during the Masses of the Easter season. It is also burned at Baptisms and funerals throughout the year.

penance A prayer or good action that we do to show we are sorry for our sins and want to do better. In the Sacrament of Reconciliation, the priest gives us a penance.

penitent The person who confesses his or her sins to the priest in the Sacrament of Reconciliation.

Precepts of the Church Laws of the Church that help us know what we should do to grow in love of God and neighbor.

priest A man who is ordained to serve God and the Church by celebrating the sacraments, preaching, and presiding at Mass. The priest is the confessor, or minister of the Sacrament of Reconciliation. The stole is a sign of the priest's obedience to God and of his priestly authority.

reconciliation A coming back together.

Reconciliation room A room or chapel in which the confessor, or priest, hears the penitent's confession of sins. The room is usually furnished with chairs, a kneeler, a table for the Bible, and a candle. A movable screen can also be used as divider between the priest and the penitent.

sacrament An outward sign that comes from Jesus and gives us grace, a share in God's life.

Sacrament of Penance Another name for the Sacrament of Reconciliation.

Sacrament of Reconciliation A sacrament of forgiveness through which the sinner is reconciled with God and the Church.

Scriptures The word of God contained in the Bible. The word *Scripture* means "holy writing." Scripture is used for reflecting on God's love and forgiveness in the Sacrament of Reconciliation. Scripture is proclaimed by a lector, or reader, at Mass, at a communal celebration, or in other liturgical celebrations.

sin The choice to disobey God.
Sin is a deliberate choice, not a
mistake or accident. We accept
God's loving forgiveness for our
sins when we show by our sorrow
that we are willing to do better.

stole A vestment the priest wears
around his neck when celebrating
the sacraments.

venial sin A less serious sin that weakens
our friendship with God.

Celebración del sacramento

El rito comunitario de la reconciliación

Antes de celebrar el sacramento de la reconciliación, dedica tiempo a examinar tu conciencia. Reza por la ayuda del Espíritu Santo.

1. Ritos iniciales

Reúnete cantando el canto de entrada. El sacerdote saludará a la asamblea y te guiará en el canto de entrada.

2. Celebración de la Palabra de Dios

Escucha la Palabra de Dios. Puede haber más de una lectura, con un himno o un salmo entre ellas. La última lectura se tomará de uno de los evangelios.

3. Homilía

Escucha al sacerdote cuando te ayuda a entender el significado de la Sagrada Escritura.

4. Examen de conciencia, letanía y padrenuestro.

Después de la homilía, habrá un momento de silencio. El sacerdote puede guiar a la asamblea en un examen de conciencia. Lo seguirá una oración de confesión y una letanía o un canto. Luego todos rezan juntos el padrenuestro.

5. Confesión individual, penitencia y absolución

Mientras esperas para hablar con el sacerdote, puedes rezar en silencio o unirte en un canto. Cuando sea tu turno, confiesa tus pecados al sacerdote. Él te hablará sobre cómo mejorar. Te dará una penitencia, extenderá la mano sobre tu cabeza y rezará la oración de absolución.

6. Proclamación de alabanza y despedida

Después de que todos se hayan confesado individualmente, únete en la oración o en una letanía de acción de gracias. El sacerdote o el diácono guiará la oración final y bendecirá a la asamblea. Luego despedirá a la asamblea.

Después de celebrar el sacramento, realiza tu penitencia cuanto antes.

Celebrating the Sacrament

The Communal Rite of Reconciliation

Before celebrating the Sacrament of Reconciliation, take time to examine your conscience. Pray for the Holy Spirit's help.

1. Introductory Rites

Join in singing the opening hymn. The priest will greet the assembly and lead you in the opening prayer.

2. Celebration of the Word of God

Listen to the word of God. There may be more than one reading, with a hymn or psalm in between. The last reading will be from one of the Gospels.

3. Homily

Listen as the priest helps you understand the meaning of the Scriptures.

4. Examination of Conscience, Litany, and the Lord's Prayer

After the homily there will be a time of silence. The priest may lead the assembly in an examination of conscience. This will be followed by a prayer of confession and a litany or song. Then everyone prays the Lord's Prayer together.

5. Individual Confession, Giving of Penance, and Absolution

While you wait to talk with the priest, you may pray quietly or join in singing. When it is your turn, confess your sins to the priest. He will talk to you about how to do better. He will give you a penance and extend his hands over your head and pray the prayer of absolution.

6. Proclamation of Praise and Dismissal

After everyone has confessed individually, join in the prayer or in singing a litany of thanksgiving. The priest or deacon will lead the closing prayer and bless the assembly. Then the priest or deacon will dismiss the assembly.

After celebrating the sacrament, carry out your penance as soon as possible.

El rito individual de la reconciliación

Antes de celebrar el sacramento de la reconciliación, dedica tiempo a examinar tu conciencia. Reza por la ayuda del Espíritu Santo.

Espera tu turno para entrar en el confesionario. Puedes elegir hablar con el sacerdote frente a frente o estar separado de él por una cortina.

1. Bienvenida

El sacerdote te recibirá y te invitará a hacer la señal de la cruz.

2. Lectura de la Palabra de Dios

El sacerdote puede leer o recitar un pasaje de la Biblia. Puede invitarte a que leas tú mismo la Sagrada Escritura.

3. Confesión de los pecados y penitencia

Le confiesas tus pecados al sacerdote. Él te hablará sobre cómo mejorar. Luego te dará una penitencia.

4. Oración del penitente

Reza una oración del penitente.

5. Absolución

El sacerdote extenderá la mano sobre tu cabeza y rezará la oración de absolución. Cuando diga las últimas palabras, hará la señal de la cruz.

6. Proclamación de alabanza y despedida

El sacerdote y tú alaban a Dios por su misericordia y te envía en paz.

Después de celebrar el sacramento, realiza tu penitencia cuanto antes.

Recuerda que después de celebrar este sacramento por primera vez, debes recibirlo a menudo para fortalecer tu amistad con Dios. Recibimos el sacramento de la reconciliación antes de recibir por primera vez la sagrada comunión. Se nos exige que, si hemos cometido algún pecado mortal, celebremos el sacramento de la reconciliación una vez por año. Si no hemos recibido el perdón por un pecado mortal, no podemos recibir la sagrada comunión.

The Individual Rite of Reconciliation

Before celebrating the Sacrament of Reconciliation, take time to examine your conscience. Pray for the Holy Spirit's help.

Wait for your turn to enter the Reconciliation room. You may choose to meet with the priest face-to-face or be separated from the priest by a screen.

1. Welcome

The priest will welcome you and invite you to pray the Sign of the Cross.

2. Reading of the Word of God

The priest may read or recite a passage from the Bible. You may be invited by the priest to read the Scripture yourself.

3. Confession of Sins and Giving of Penance

You tell your sins to the priest. The priest will talk with you about how to do better. Then the priest will give you a penance.

4. Prayer of the Penitent

Pray an Act of Contrition.

5. Absolution

The priest will hold his hand over your head and pray the prayer of absolution. As he says the final words, he will make the Sign of the Cross.

6. Proclamation of Praise and Dismissal

You and the priest praise God for his mercy, and the priest sends you forth.

After celebrating the Sacrament, carry out your penance as soon as possible.

Remember, after you celebrate this sacrament for the first time, you should receive it often to strengthen your friendship with God. We receive the Sacrament of Reconciliation before we receive Holy Communion for the first time. We are required to celebrate the Sacrament of Reconciliation once a year if we have committed mortal sin. We cannot receive Holy Communion if we have not received forgiveness for a mortal sin.

Fuentes de moral

El gran mandamiento

"Amarás al Señor tu Dios con todo tu corazón, con toda tu alma, con todas tus fuerzas y con toda tu mente; y amarás a tu prójimo como a ti mismo".

Lucas 10:27

El nuevo mandamiento

"Éste es mi mandamiento: Que se amen unos a otros como yo los he amado".

Juan 15:12

Amor a los enemigos

"Pero yo les digo: Amen a sus enemigos y recen por sus perseguidores, para que así sean hijos de su Padre que está en los Cielos".

Mateo 5:44–45

Las bienaventuranzas

"Felices los que tienen el espíritu del pobre,
   porque de ellos es el Reino de los Cielos.
Felices los que lloran,
   porque recibirán consuelo.
Felices los pacientes,
   porque recibirán la tierra en herencia.
Felices los que tienen hambre y sed de justicia,
   porque serán saciados.
Felices los compasivos,
   porque obtendrán misericordia.
Felices los de corazón limpio,
   porque verán a Dios.
Felices los que trabajan por la paz,
   porque serán reconocidos como hijos de Dios.
Felices los que son perseguidos por causa del bien,
   porque de ellos es el Reino de los Cielos".

Mateo 5:3–10

Sources of Morality

The Great Commandment

"You shall love the Lord your God with all your heart, and with all your soul, and with all your strength, and with all your mind; and your neighbor as yourself."

Luke 10:27

The New Commandment

"This is my commandment, that you love one another as I have loved you."

John 15:12

Love of Enemies

"But I say to you, Love your enemies and pray for those who persecute you, so that you may be children of your Father in heaven…."

Matthew 5:44–45

The Beatitudes

"Blessed are the poor in spirit,
for theirs is the kingdom of heaven.

Blessed are those who mourn,
for they will be comforted.

Blessed are the meek,
for they will inherit the earth.

Blessed are those who hunger and thirst
for righteousness,
for they will be filled.

Blessed are the merciful,
for they will receive mercy.

Blessed are the pure in heart,
for they will see God.

Blessed are the peacemakers,
for they will be called children of God.

Blessed are those who are persecuted for
righteousness' sake,
for theirs is the kingdom of heaven."

Matthew 5:3–10

Los diez mandamientos

1. Amarás a Dios sobre todas las cosas.	Que Dios sea lo más importante en tu vida, antes que cualquier otra cosa.
2. No tomarás el nombre de Dios en vano.	Respeta el nombre de Dios y las cosas santas. No uses malas palabras.
3. Santificarás las fiestas.	Participa en la misa los domingos y los días de fiesta de la Iglesia. Evita trabajar sin necesidad en esos días.
4. Honrarás a tu padre y a tu madre.	Obedece y muestra respeto a tus padres y a otras personas responsables de tu cuidado.
5. No matarás. No te lastimarás ni lastimarás a los demás.	Cuida todas las formas de vida. Evita enojarte, pelear y ser un mal ejemplo.
6. No cometerás actos impuros.	Muestra respeto por la vida matrimonial y familiar. Respeta tu cuerpo y el cuerpo de los demás.
7. No robarás.	Respeta la creación y las cosas que pertenecen a los demás. No hagas trampas. No tomes lo que no te pertenece. No dañes las cosas de los demás.
8. No dirás falso testimonio ni mentirás.	Di la verdad. No hables mal de los demás. No mientas ni dañes el buen prestigio de los demás.
9. No desearás la mujer de tu prójimo.	Sé fiel a tus familiares y amigos. No seas celoso. Evita los pensamientos y las acciones impuras.
10. No codiciarás los bienes ajenos.	Comparte lo que tienes. No envidies lo que tienen otras personas. No desees o anheles las cosas de otras personas.

The Ten Commandments

1. I am the Lord your God. You shall not have strange gods before me.	Put God first in your life before all things.
2. You shall not take the name of the Lord your God in vain.	Respect God's name and holy things. Do not use bad language.
3. Remember to keep holy the Lord's Day.	Take part in Mass on Sundays and holy days. Avoid unnecessary work on those days.
4. Honor your father and your mother.	Obey and show respect to parents and others who are responsible for you.
5. You shall not kill. Do not hurt yourself or others.	Take care of all life. Avoid anger, fighting, and being a bad example.
6. You shall not commit adultery.	Show respect for marriage and family life. Respect your body and the bodies of others.
7. You shall not steal.	Respect creation and the things that belong to others. Do not cheat. Do not take things that do not belong to you. Do not damage the property of others.
8. You shall not bear false witness against your neighbor.	Tell the truth. Do not gossip. Do not lie or hurt others' good reputations.
9. You shall not covet your neighbor's wife.	Be faithful to family members and friends. Do not be jealous. Avoid impure thoughts and actions.
10. You shall not covet your neighbor's goods.	Share what you have. Do not envy what other people have. Do not be greedy or desire other people's property.

Preceptos de la Iglesia

1. Participa en la misa los domingos y los días de fiesta de la Iglesia. Santifica estos días y evita trabajar sin necesidad.

2. Celebra el sacramento de la reconciliación al menos una vez al año si has cometido un pecado grave o mortal.

3. Recibe la sagrada comunión al menos una vez al año durante el tiempo de Pascua.

4. Guarda ayuno y abstinencia en los días de penitencia.

5. Dona tiempo, ofrendas y dinero para apoyar a la Iglesia.

Obras de misericordia

Corporales (para el cuerpo)

Alimentar a los que tienen hambre.
Dar de beber a los que tienen sed.
Vestir a los que están desnudos.
Dar techo a quien no lo tiene.
Visitar a los enfermos.
Visitar a los presos.
Sepultar a los muertos.

Espirituales (para el espíritu)

Aconsejar a los pecadores.
Enseñar a los ignorantes.
Aconsejar a los que dudan.
Consolar a los que sufren.
Soportar las equivocaciones con paciencia.
Perdonar las ofensas.
Rezar por los vivos y por los muertos.

Precepts of the Church

1. Take part in the Mass on Sundays and holy days. Keep these days holy, and avoid unnecessary work.

2. Celebrate the Sacrament of Reconciliation at least once a year if you have committed a serious, or mortal, sin.

3. Receive Holy Communion at least once a year during Easter time.

4. Fast and abstain on days of penance.

5. Give your time, gifts, and money to support the Church.

Works of Mercy

Corporal (for the body)

Feed the hungry.
Give drink to the thirsty.
Clothe the naked.
Shelter the homeless.
Visit the sick.
Visit the imprisoned.
Bury the dead.

Spiritual (for the spirit)

Warn the sinner.
Teach the ignorant.
Counsel the doubtful.
Comfort the sorrowful.
Bear wrongs patiently.
Forgive injuries.
Pray for the living and the dead.

Oraciones católicas

La señal de la cruz

En el nombre del Padre, del Hijo y del Espíritu Santo. Amén.

El padrenuestro

Padre nuestro, que estás en el cielo,
santificado sea tu Nombre;
venga a nosotros tu reino;
hágase tu voluntad en la tierra como
  en el cielo.
Danos hoy nuestro pan de cada día;
perdona nuestras ofensas,
como también nosotros perdonamos
a los que nos ofenden;
no nos dejes caer en la tentación,
y líbranos del mal.
Amén.

Oración del penitente

Dios mío, me arrepiento de todo corazón de todo lo malo que he hecho y de todo lo bueno que he dejado de hacer, porque pecando te he ofendido a ti, que eres el sumo bien y digno de ser amado sobre todas las cosas.
Propongo firmemente, con tu gracia, cumplir la penitencia, no volver a pecar y evitar las ocasiones de pecado.
Perdóname, Señor, por los méritos de la pasión de nuestro salvador Jesucristo.

Yo confieso

Yo confieso ante Dios todopoderoso
  y ante vosotros, hermanos,
  que he pecado mucho
  de pensamiento, palabra, obra y omisión.
Por mi culpa, por mi culpa, por mi gran culpa.
Por eso ruego a Santa María, siempre Virgen,
  a los ángeles, a los santos
  y a vosotros, hermanos,
  que intercedáis por mí ante Dios,
  nuestro Señor.

Catholic Prayers

The Sign of the Cross

In the name of the Father
and of the Son
and of the Holy Spirit
Amen.

The Lord's Prayer

Our Father, who art in heaven,
hallowed be thy name;
thy kingdom come;
thy will be done on earth as it is in heaven.
Give us this day our daily bread;
and forgive us our trespasses
as we forgive those who trespass against us;
and lead us not into temptation,
but deliver us from evil.
Amen.

Act of Contrition

My God,
I am sorry for my sins with all my heart.
In choosing to do wrong
and failing to do good,
I have sinned against you
whom I should love above all things.
I firmly intend, with your help,
to do penance,
to sin no more,
and to avoid whatever leads me to sin.
Our Savior Jesus Christ
suffered and died for us.
In his name, my God, have mercy.

Confiteor

I confess to Almighty God
and to you, my brothers and sisters,
that I have sinned through my own fault,
in my thoughts and in my words,
in what I have done,
and in what I have failed to do;
and I ask Blessed Mary ever virgin,
all the angels and saints,
and you, my brothers and sisters,
to pray for me to the Lord our God.

Oración de san Francisco de Asís

Señor, hazme un instrumento de tu paz.
Donde haya odio, que siembre yo amor;
donde haya injuria, perdón;
donde haya duda, fe;
donde haya desesperación, esperanza;
donde haya tinieblas, luz;
y donde haya tristeza, alegría.

Oh Divino Maestro,
concédeme que yo busque
no tanto ser consolado,
sino consolar,
no tanto ser comprendido,
sino comprender,
no tanto ser amado, sino amar;
pues es dando que recibimos,
es perdonando que somos perdonados,
y es muriendo que nacemos a la vida eterna.
Amén.

Oración al Espíritu Santo

Ven, Espíritu Santo, llena los corazones de
los fieles
y enciende en ellos el fuego de Tu amor.
Envía Tu Espíritu, y serán creados.
Y renovarás la faz de la tierra.

Prayer of Saint Francis of Assisi

Lord, make me an instrument of your peace.
Where there is hatred, let me show love;
where there is injury, pardon;
where there is doubt, faith;
where there is despair, hope;
where there is darkness, light;
and where there is sadness, joy.

O Divine Master, grant that I may not so
    much seek
to be consoled as to console;
to be understood as to understand;
to be loved as to love.
For it is in giving that we receive;
it is in pardoning that we are pardoned;
and it is in dying that we are born to
    eternal life.
Amen.

Prayer to the Holy Spirit

Come, Holy Spirit, fill the hearts of your
    faithful
And kindle in them the fire of your love.
Send forth your Spirit and they shall be
    created.
And you shall renew the face of the earth.

Un examen de conciencia

1. Te preparas para el sacramento de la reconciliación al pensar en las cosas que has hecho o dejado de hacer. Piensa cómo has seguido las bienaventuranzas, los diez mandamientos, el gran mandamiento y los preceptos de la Iglesia.

2. Ora al Espíritu Santo para que te acompañe en tus pensamientos sobre tus decisiones y acciones.

3. Pregúntate:
   - ¿Usé el nombre de Dios con respeto?
   - ¿Mostré mi amor por Dios y por el prójimo de alguna manera?
   - ¿Recé mis oraciones diarias con frecuencia?
   - ¿Obedecí siempre a mi madre y a mi padre?
   - ¿Fui amable con quienes me rodean o fui grosero?
   - ¿Fui justo en mi modo de jugar y trabajar con los demás?
   - ¿Compartí mis cosas con los demás?
   - ¿Evité tomar lo que pertenece a otra persona?
   - ¿Cuidé de mis cosas y de las cosas de los demás?
   - ¿Lastimé a alguien llamándole con apodos o diciendo mentiras sobre él?
   - ¿Fui a misa y tomé parte en la celebración?

4. Reza para que el Espíritu Santo te ayude a cambiar y a seguir el ejemplo de amor de Jesús.

An Examination of Conscience

1. You prepare for the Sacrament of Reconciliation by thinking about the things you have done or not done. Think about how you have followed the Beatitudes, the Ten Commandments, and the Great Commandment.

2. Pray to the Holy Spirit to be with you as you think about your choices and actions.

3. Ask yourself:
   - Did I use God's name with respect?
   - Did I show my love for God and others in some way?
   - Did I usually say my daily prayers?
   - Did I always obey my mother and father?
   - Was I kind to those around me or was I mean?
   - Was I fair in the way that I played and worked with others?

- Did I share my things with others?
- Did I avoid taking what belongs to someone else?
- Did I care for my own things and others' things?
- Did I hurt others by calling them names or telling lies about them?
- Did I go to Mass and take part in the celebration?

4. Pray for the Holy Spirit's help to change and follow Jesus' example of love.

Los números en negrita remiten a las páginas donde están definidos los términos. La mayoría de estas palabras también están definidas en la sección Palabras de fe, págs. 122–127.

Boldfaced numbers refer to the pages on which the terms are defined. Many of these words are also defined in the Words of Faith section, pp. 128–133.